アメリカ合衆国

テキサ

エルパソ

リオ・グランデ川

メキシコ

エレナと道生（みちお）の旅

――― エレナ

……… 道生

答えは旅の中にある

小手鞠るい

あすなろ書房

答えは旅の中にある

もくじ

たとえ誤りにみちていても、
世界は正解でできているのでなく、
競争でできているのでもなく、
こころを持ちこたえさせてゆくものは、
むしろ、躊躇や逡巡のなかにあるのでないか。
何だって正しければ正しいのでない。

——長田弘『誰も気づかなかった』

エピソード1
旅立ちの日

エレナ――ひとり旅

「旅の荷物は、できるだけ少ない方がいい」

いつだったか、母がそんなことを言っていた。

たぶん、ふたりでどこかへ旅行することになったときだと思う。

「余計なものは持っていかない。荷物は軽く、心も軽く、足取りも軽く、風のように自由に、気ままにね」

歌うようにそう言って、母は幼いエレナの頭を撫でながら、髪の毛をくしゃくしゃにした。

これまでずっと、記憶の湖の底に沈んでいた母の言葉を思い出しながら、エレナは、ブルーグレイの小型のスーツケースに、必要なものを詰めこんでいく。

下着類、洋服、パジャマ、洗面用具、ランニング用の靴、ソックス、本、ノート、筆記用具。

あとは、何が必要だろう。

同じアメリカ国内でも、西南部から北東部へ、ここよりも寒い土地へ行くのだから、セーターやマフラーや毛糸の帽子や手袋も入れておこうか。それとも、実際に行ってみて、必要だったら、向こうで買うようにすればいいのか。荷物はもちろん、できるだけ少なく、軽くしたいけれど、何が必要で、何が必要ではないか、その判断基準をどこに置けばいいのだろう。

そんなことを思いながら立ち上がったとき、エレナの胸をかすめていった、別の言葉があった。

人生。

そう、あのとき母は「特に人生という名の旅の荷物は、少ない方がいい」と、言ったのだった。

人生という名の旅。

小学生になったばかりか、なる前か、それくらいの年齢の娘に「人生という名の旅」などと言っても、本当の意味は理解されないだろうと、母にはわかっていたはずだ。

それでもそう言った。

そうして、その言葉はエレナの胸に残った。

今も残っている。

人は死んでも、人の言葉は死なない。

母は亡くなっても、母の言葉は無くならない。

母が亡くなったのは今から五年ほど前、エレナが小学四年生のときだった。

午後の授業が始まった教室に、校長先生が入ってきて、

「エレナ、あなたのおばあさんがお迎えに来ているから、彼女といっしょに、すぐに家へ帰りなさい」

いきなり、そう告げた。

「え？　おばあちゃんがお迎え」

なんのことやら皆目、わけがわからなかった。

「どうして、ですか」

問いかけると、校長先生はふんわりとした笑顔になって、首を静かに横に振った。

いつもの笑顔ではなかった。

彼女はエレナを見つめて、言葉を続けた。言いたくないことを、言わなくてはならない人の表情で。

「くわしい事情はおばあさんから直接、聞いて。私にもよくわからない。でも、急いで帰った方がいい。それだけはわかっている」

クラスメイトたちもみんなびっくりして、エレナの方を見ている。中には、笑っている子もいる。早く帰れるようになって、エレナ、良かったねって、ささやいている子もいる。

授業をしていた先生は、エレナのそばまで歩いてくると、優しく声をかけた。

「さ、荷物をまとめなさい」

「はい、わかりました」

素直にそう答えて、エレナは、机の上に広げていたノートと教科書を鞄に入れた。

校長先生の青ざめた顔つきから、何か良からぬことが起こったのだということだけは、わかっていた。


「信じられないことが起こった」

祖母の運転してきた車に乗りこむと、彼女は孫娘に向かって、母国語であるスペイン語でまくし立てた。

「私はおまえの母に起こったことを信じない。信じたくないことが起こった。エレナ、どうしよう。どうしたらいいんだ。おまえの父は途方に暮れている。私もだ」

エレナの父・アントニオは、アメリカで生まれ育ったメキシコ系アメリカ人だ。

祖母は生粋のメキシコ人で、英語はあまりうまくしゃべれない。

「どうしたらいいんだ。どうすればいいんだ。神様はどこで何をしている」

涙まじりの早口だった。

悲しんでいる、というよりも、怒っている、という感じだった。しかも激しい怒り。

祖母の話すスペイン語の意味はすべて、エレナには理解できた。母・真理亜は高速道路を走行中、運転を誤ってガードレールに激突し、亡くなってしまったという。

亡くなったと言われても、エレナにはなんの実感もわかない。ただ、きょとんとしていた。

「私たちの大切なマリアが連れていかれた。神様はひどい。なぜ、彼女を連れていったのか。私たちを残して、なぜなんだ、なぜなんだ。マリアを返せ、返してくれ」

運転席でハンドルを叩きながら泣く祖母の肩と背中を、エレナは小さな手でさすりながら慰めた。

「おばあちゃん、泣かないで、泣かないで、わたしが付いてるよ」

これって、立場が逆なのではないか、などと、頭の片すみで思いながら。

「許さない。私は許さない。こんなことが起こっていいはずはない！」

「ママは今どこに」

祖母からの答えは、返ってこなかった。

ママはきっと生きている。

おばあちゃんは勘違いをしているだけだ。

車の中で、エレナはそう思っていた。そうとしか思えない。

「ねえ、おばあちゃん、どこへ行くの」

行き先を尋ねても、祖母は教えてくれなかった。教えてくれたのかもしれないけれど、泣き声にかき消されて、聞き取れなかった。

高速道路を何度か乗り継いで、車が向かっているのは、家ではなかった。

車の行き先は、救急病院だった。

エレナはそこで、母親の遺体と、遺体に取りすがって泣く父親に対面した。

母はそのとき、三十九歳。

多かったのか、少なかったのか、エレナにはわからないけれど、母は人生の荷物をすべて投げ出して、ひとりで天国へ旅立ってしまったのだった——。

ママといっしょに旅をしたかった。

この荷作りを、いっしょにしたかった。

しみじみと、エレナは母を恋しく思う。

毎晩、眠る前に一冊、日本語の絵本を読んで聞かせてくれた母。

「あなたの体と心の半分は、日本語でできている。日本語を忘れてはだめよ」

エレナという名前は、漢字で書くと「英玲奈」になる。

漢字の意味と書き順を、何度も教えてくれた母。

「きれいな文字でしょ。漢字って、難しいけど、きれいでしょう」

母の声。母の口調。母の笑顔。母の匂い。母の口ぐせ。

それらは、すぐ近くにあるようで、手が届かないほど遠くにある。

遠くにあるようで、すぐ近くにある。

なつかしい。とてもとてもなつかしい。

柔らかくて、あたたかい、手のひら。繊細な指と指先。ハグしてもらったときの、力強い腕。

それらの感触は今も、この手のひらに、背中に、体中に、残っているようでもあるし、そんなものはもう、どこにも残っていないようでもある。

人が死ぬ、というのは、そういうことなのかもしれない、と、エレナは思う。

悲しかった。

あんなに悲しかったのに、悲しみというものは日々、薄れていく。

しかもその速度は日々、増していく。

死ぬ、ということは、忘れられていく、ということなのだ、きっと。

だから、わたしは忘れない。

忘れないからね、ママ。

自分に言い聞かせるようにして、声には出さないで、胸の中でつぶやく。

ママ、愛してる。いっぱい、いっぱい、愛してる。

つぶやきながら、エレナは、手のひらに載るくらいの大きさの、いつもお守り代わりにバッグに入れてある、小さなフレーム入りの母の写真を、旅行鞄の中にそっと収めた。

ママ、いっしょに行こうね。

行き先は、ニューヨーク州、ウッドストック。

ママが行きたかった、ロックの聖地だよ。

道生（みちお）――ふたり旅

「荷作り、できたか、ミッチ」

いきなりドアをあけて、部屋に入ってきた兄・太郎から訊（き）かれて、

「今、やってるところだ。現在進行形」

道生は答えを返す。

「半袖（はんそで）のTシャツも入れておけよ。向こうは冬でも暑そうだから」

そう言われて「そうか、冬でも暑いのか」と、改めて感心する。

感心しながらも「待てよ」と思う。

「冬でもって、今は三月だけど」

三月と言えば、日本はすでに春のはず。梅の花だって、咲（さ）いているはず。

「だって、冬だろ。外を見ればわかるだろ」

確かに。言われてみれば、今は三月ではあるのだが、三月のニューヨーク州は確かにまだまだ、冬だ。

窓の外には、うっすらと雪が積もっている。

森の樹木はそれでもせいいっぱい、枯れ枝を広げている。枯れ木も山の賑わいだ。

春の気配は、どこにも感じられない。

「あーあ、長過ぎるよな、この冬」

兄の言葉に、道生はうなずく。

「冬からの脱出だ！」と、兄。

「目指せ、エルパソ！」と、道生。

右手の親指をぐいっと立てて、兄は部屋から出ていった。


三月の春休み、いわゆるスプリングブレイクを利用して、大学生の兄とふたりで、旅行をすることにした。冬なのに、春休みだ。

計画はすべて、兄が立てた。

登山の好きな兄といっしょに、国立公園や州立公園で、山登りざんまいの旅になりそうだ。

旅先で、兄のガールフレンドと合流する、という計画も実はあるらしい。これは父には内緒にしておいてくれと、釘を刺されている。男には男の事情がある、ということか。

「半袖、半袖、半袖。冬なのに半袖だぜー」

英語のロックに合わせて、適当な日本語の替え歌を歌いながら、道生は半袖のシャツを畳んで、旅行鞄に押しこんでいく。

半袖のTシャツ五枚、パンツ五枚、ソックス五足。あとは何が必要だろう。歯ブラシと、石鹸と、シャンプーか。石鹸なんて、いらないか。

うきうきしている。

アメリカって、広いな、大きいな、でっかいな。

こっちにはまだ雪が積もっているというのに、あっちは暑くて半袖がいるのか。

アメリカ本土には四十八州があり、ハワイ州、アラスカ州を含めると、全部で五十州になる。日本は、カリフォルニア州にすっぽり入ってしまう広さしかない。

いつか、アメリカ五十州を全部、自分の目で見て、耳で聞いて、足で歩いてみたい。そんな夢を道生は抱いている。

これまでに行ったことのある州は、ニュージャージー州、マサチューセッツ州、ペンシルベニア州、コネチカット州、バーモント州、ニューハンプシャー州。

いずれも、ニューヨーク州からは車で行ける近隣の州だ。これで六州だから、ニューヨーク州を入れると七州か。

あ、ハワイ州へも行ったから、合計八州。

ということは、まだ四十二州が残っている。

今回、制覇することになっているのは、メキシコに隣接しているテキサス州だ。

道生にとっては初めての、アメリカ西南部、ということになる。

この旅の目的はずばり、冒険と発見だ。

なんでも見てやる、聞いてやる、体験してやる。そんな旅になるという予感がすでにしている。

将来、どんな仕事に就きたいのか。小学校や家で、そういう話題が出たとき、道生はいつも「冒険家か、探検家」と答えてきた。実際になれるかどうかは別として、夢は大きい方がいい、というのは、母の口ぐせだが、道生もそう思っている。

「できた！　現在完了だ！」

手当たり次第に物を詰めこんだ、黒いスーツケースのふたを閉じると、道生は童謡を口ずさみながら、キッチンへ向かった。

「海は広いな〜大きいな〜月がのぼるし日が沈む〜」

キッチンにいた父がいっしょに歌い出す。

「海は大波〜青い波〜ゆれてどこまで続くやら〜」

兄も姿を現して、最後のフレーズは、父と兄弟の合唱になる。

「海にお舟を浮かばして〜行ってみたいな〜よその国〜」

これって、まるで、ぼくらのための歌みたいだよな、と、道生は思う。


今から二年ほど前、大手自動車メーカーで働いている父のアメリカ赴任が決まったとき、母は自分の仕事を理由に日本に残る決意をし、大学生だった兄はちゃっかりと、アメリカの大学へ編入学することにした。兄はもともと、外国へ行きたくてしかたのない男だった。

「ミッチは、私といっしょに日本に残るでしょ」

母にそう問われて、道生は首を横に振った。

「ぼくも、父ちゃん、兄ちゃんといっしょにアメリカへ行ってみたい」

あのとき、母はちょっと悲しそうな表情になっていた。

しかし、寂しさを笑顔で覆い隠して、言った。

「わかった、じゃあ、行ってきなさい。私もそろそろ子離れしなくちゃ」

それで決まりだった。

潔い。きっぱりしている。うだうだ言わない。

道生は、そんな母を誇りに思っている。英字新聞記者という仕事を含めて、母を尊敬している。かっこいい女性と言えば、まっさきに母を思い浮かべる。

母は社内で「育児休暇を男女平等に取りましょう運動」のリーダーを務めている。

これは、道生の母が名づけた運動で「女性だけが育児休暇を取って、会社を長期で休んでいる限り、能力のある女性が日本社会で、その能力を十全に発揮することができなくなる」からだそうだ。

うなずける話だ、と、道生は素直にそう思う。

男にだって、子どもを育てる権利がある。その楽しみを男から奪ってはいけない。

これはアメリカの中学校の先生がいつも言っていることだ。

この先生は、男だ。家事も得意らしい。うちの父ちゃんと同じだ。

「これからは、遠距離家族でやっていこう。この距離が愛を育ててくれるはずよ」

かっこいい母はそう言って、男三人をアメリカへ送り出してくれた。

ちなみに、兄の太郎は、父の前の妻の子どもで、道生は母の子だ。

つまり、再婚家庭。

日本ではけっこう珍しがられていたし「深刻な事情のある家庭」などと言われることもあって、そのたびに頭に来ていたが、再婚家庭なんて、片親家庭、離婚家庭、養子家庭などと同様、アメリカではそのへんにごろごろ転がっている普通の家族だ。

アメリカに来る前から、道生はそう思っていた。

来てみると、事実、その通りだった。

成田空港まで見送りに来てくれたとき、母は息子たちにこう言った。

「いろんな経験をいっぱいしてきなさい。たとえ苦い経験をしても、失敗しても、若いときの失敗は、あとできっと成功につながる。すべてが財産になる。青年たちよ、大志をいだけ！」

渡米後、道生は、アメリカのジュニアハイスクールに通っている。

来年の九月からは、高校生になる。

今、通っている私立中学校は二年制で、高校は四年制なのだ。父のアメリカ駐在は、残すところあと二年ほど。

二年で、四十二州、行けるだろうか。

「さあ、男たちよ、朝ごはんだ。飯ができたぞ」

道生の背中に、父の声が届く。

「おまえたち、テーブルセッティングを頼む」

「了解。あー腹減ったー」

食器を出しながら道生が言うと、追いかけるように兄が言った。

「なぁんだ、きょうもライスボールと味噌スープか」

「兄ちゃん、やめなよ、その言い方。正しい日本語、忘れたの」

「そうだよ、太郎、アメリカかぶれの日本人になったら、日本へ戻ってから苦労するぞ。漬物は漬物だ。ピクルスじゃないぞ」

父は洋食よりも和食の朝ごはんを好む。

メニューはたいてい、おにぎりと味噌汁と冷ややっこだ。たまに、玉子焼きが付くこともある。おにぎりの中身は梅干しで、味噌汁の具はわかめと決まっている。どちらも、母が日本から送ってきてくれたものだ。ちなみに、四人とも魚菜食主義。肉類とその加工品はいっさい食べない。卵と乳製品は食べる。

「アメリカで暮らしているんだから、パンケーキとか、ワッフルとか、お菓子みたいに甘いデニッシュとか、そういうのもたまには食べたいなぁ」と、兄。

「今、流行りのモーニングブリトーなんて奴も」と、道生。

これは、メキシコ料理でよく使われる、とうもろこしの粉で作られている皮、トルティーヤに、スクランブルエッグやトマトや、炒めた赤ピーマンや玉ねぎをくるくる巻きこんだもので、アメリカ風にアレンジされたメキシコの食べ物だ。

「文句を言うな。飯を食べられるだけでも幸せだと思え」

そんな台詞を聞きながら、道生は、かっこいい母の手作りの、ちょっと不恰好なマフィンの味を恋しく思い出している。

エレナ――三本のルーツ

エレナの通っている中学校の、今年のスプリングブレイクは、三月十二日から、十六日まで。前後の土日を足して合計九日間の休み。

この休暇を利用して、エレナはひとり旅をすることにした。

十五歳のひとり旅。

その計画について家族に話すと、父は、

「行ってきたらいい。俺の代わりにしっかり見てきてくれ。おまえのママも喜ぶだろう。マリアの友だちによろしく伝えてくれ」

すぐさま賛成してくれた。

祖母は反対した。

目を吊り上げて、孫娘にではなく、息子に対して抗議をした。

「何を言っている！　おまえの娘はまだ十五歳だよ。ほんの子どもじゃないか。ひとり旅なんて危険だよ。行かせるなら、おまえもいっしょに行け」

父には仕事がある。

エレナの父は、地元で人気のメキシカンレストラン「パンチョ・ビリャ」のオーナーシェフで、つい最近、隣町に支店を出したばかりだ。

九日間も仕事を休むわけにはいかない。

エレナは祖母にこう言った。英語とスペイン語の両方で。

「おばあちゃん、だいじょうぶだよ。わたしはね、おばあちゃんが思っているほど、子どもじゃない。それに、向こうの空港の出口まで、ママのお友だちが迎えに来てくれることになっている。ひとり旅と言っても、それは飛行機の中だけ」

うなずきながら、父も言い聞かせた。

「そうだよ、かわいい子には旅をさせろ、そういうことわざも、あるじゃないか。もしもあなたが子どもを愛しているなら、あなたは子どもを行かせなさいってな」

祖母はまだぶつぶつ文句を付けている。

「聞いたこともない、そんなことわざ」

「今、聞いただろ。なんなら、あんたがいっしょに付いていけば」

突き放すように父が言うと、祖母は眉をひそめた。

「あたしはいやだよ。ここからどこへも行きたくない。飛行機は嫌いなんだ」

「そうだよね、おばあちゃんはお姫さまなんだから、旅をするなら馬車に乗って、家来をいっぱい連れていかなくちゃ」

エレナがそう言うと、祖母はくしゃくしゃの笑顔になった。


「あたしはその昔、お姫さまだったんだよ」

祖母はそう言って、生まれ故郷の町での裕福だった暮らしについて、語って聞かせてくれたものだった。

「お城みたいな家に住んでいたんだ。部屋の数なんて、数えたこともない。数えられないほどあった。部屋の数と同じくらい、馬がいてね。あたし専用の馬もいたんだよ」

祖母はいわゆるお金持ちのおじょうさまだった。蝶よ花よと育てられた。

けれど、若くして祖父と結婚し「アメリカでひと旗あげてやる」という野心家の祖父といっしょに渡米してからは、苦労続きの人生だった。

事業を広げ過ぎて、多額の借金をかかえたまま、祖父は何者かに襲われて命を落としてしまう。借金を返しながら、三人の息子をひとりで育て上げるために、祖母は文字通り、身を粉にして働いた。できる仕事があればなんでもやった。ときには危ない橋も渡ったという。どんな橋だったのか、エレナには知る由もないけれど。

三人の息子たちのうち、長男と次男は成人したのち、ぷいと家を出ていったきり帰ってこない。三男のアントニオだけが祖母のそばに残った。彼だけが頼りだった。

ある日「この人と結婚することにした」と言って、アントニオは、ひとりの日本人女性を連れてきた。

祖母は手放しで喜んだ。

日本人ではあったものの、息子が連れてきた女は、見ようによっては、メキシコ人にも見える。名前もいい。マリアという名前はそのまま、メキシコ人女性の名前ではないか。性格もいい。優しくて、賢くて、利発で、これ以上の嫁はいない。でも、何よりもうれしかったのは、言葉の壁がない、ということだった。

真理亜は、英語だけではなくてスペイン語も流暢に話せた。英語は日本で、スペイン語はアメリカに来てから勉強し、アメリカの大学に在学中から、フリーランスの通訳者として活躍していたという。

両親のなれそめについては、母からも父からも直接、エレナは話を聞かせてもらったことがある。ふたりの話は、みごとなまでに一致していた。

そこに「真実の愛があった」という点において。

アントニオと真理亜は、真理亜が一時期、エルパソに滞在して通っていたスペイン語学校で出会った。真理亜は生徒で、アントニオはアルバイトの講師だった。

ふたりのあいだに、愛が芽生えた。真実の愛だ。

愛は国境を越えるんだよ、と、父は言っていたっけ。

メキシコ系アメリカ人と結婚して、アメリカで暮らすことにした母は、日本の家族からは、勘当（かんどう）された。もう二度と、帰ってこなくていい、とまで言われた。

母は日本と日本の家族を切り捨てることになっても、父といっしょになりたかった。

それが真実の愛というものだろう、と、エレナは思う。

そうして、祖母にとって初孫となる、エレナが生まれた。

エレナという名前は、母が付けてくれた。

スペイン語でも英語でも日本語でも、通用する名前として。

エレナは、母からも祖母からも父からも、目に入れても痛くないほど、かわいがられた。子ども時代の思い出は、まるで虹（にじ）のように、七色に染まっている。

幸福の色は虹の色だと、子ども心にそう思っていた。

でも、今はそうは思えない。

虹というのはいつか、消えてしまうものだ。

幸福というのは、いつまでも続くとは限らない。

次は男の子を、という祖母の願いも虚（むな）しく、真理亜は「連れていかれた」――。

以来、エレナは祖母に育てられた。

大切に、大切に、育ててもらった。

エレナは、祖母を愛している。家族を愛している。祖母の国メキシコを、母の国日本を、父の国アメリカを愛している。均等に。

そう、均等に、愛している。

自分という人間にルーツがあるとすれば、それは「三本ある」と、エレナは思っている。

メキシコへは、何度か行ったことがある。エルパソは街で、メキシコは国だけれど、両者は隣接している。車でも行ける、お隣さんなのだ。

でも、日本へはまだ行ったことがない。日本は遠い。海の向こうにある。「いつか行こうね」と、母と固く約束していたけれど、行けなくなった。

いつか、日本へ行ってみたい。

いつになるか、わからないけれど、いつか、きっと。

道生——国境の町へ

「さあ、男たち。出発するぞ。忘れ物はないか」

運転席に座ると、父は振り返って、道生に問いかけた。

「うん、特にないと思うけど」

答えると、助手席から兄が言った。

「ちょっと待った！　サングラス。サングラス、忘れたよ。ちょっと待ってて」

父と道生にそう言い置いて車を降りると、兄は、ガレージから家につながっているドアの向こうに姿を消した。

それから二、三分も経たないうちに戻ってきて、

「ほい、これ、おまえの分」

言いながら、道生にサングラスを手渡す。

兄のお古だ。自分は新しいのを買ったから、ぼくにお古をくれるというわけか。まあ、いいか。

「おまえ、顔のサイズが僕よりでかいけど、合うかな、それ」

試しに、掛けてみる。

「合う、みたいだ」

掛けてから伸び上がって、ルームミラーに顔を映してみる。

なかなかクールかも、と、ひとり悦に入っていると、

「おお、けっこうよく似合ってるぞ。中学生には見えないな」

父から声がかかった。

「おまえもきょうから一人前の大人だ」

その瞬間、旅が始まった、そんな気がした。

中学生には見えない。一人前の大人だ。

なぜか、その台詞に、道生は痺れた。

自分が自分ではなくなったような感覚に痺れた、ということだろうか。

旅に出るということは、今までの自分を脱ぎ捨てて、新しい自分になってみる、ということかもしれないな。

ちょっとオーヴァーかな。

父も兄もサングラスを掛けている。日本で掛けると「かっこ付けてる」なんて、笑われるのが落ちだが、アメリカでは誰もが普通に掛けている。

ただし、中学生はあんまりというか、ほとんどというか、掛けていない。でもきょうから、ぼくは中学生じゃない。

一人前の大人だ。

黒眼鏡の男三人が向かう場所は、マンハッタンだ。
スルーウェイ、いわゆる州間高速道路に車を走らせること、約一時間半。
道生たちの暮らしているニューヨーク州ウッドストックから、摩天楼の街へ。
マンハッタンで二泊したあと、再び父に送られて、ラ・ガーディア空港へ。
そこで父と別れて、飛行機でひとっ飛び。
行き先は、テキサス州ヒューストン。
ヒューストンで乗り換えて、メキシコとの国境の町へ向かう。
テキサス州エルパソ。別名はサンシティ。太陽の街。
テキサス州の最西端にあって、町の南と西に、メキシコとの国境がある。
そこがこの旅の目的地だ。
「エルパソ」――この地名の響きにも、道生は痺れる。
何度、口に出して発音しても、そのたびに胸が弾む。
胸の扉が外へ向かって、開いていくような気がする。
スペイン語であるエルパソの意味は、峠だ。
道生は思う。峠というのは、越えるためにあるのではないだろうか。

そこを越えて、どこかへ行く。そこを越えたら、別世界が広がっている。あるいは、そこを越えて、どこかへ帰る。あるいは、そこを越えたら、もうこちら側には戻ってこられない。

エルパソとは、いったいどんな峠なのか。

未知の峠へ向かって、車は走り始めた。

エレナ――ロックの聖地へ

何度もハグをして、ほっぺにたくさんキスをされ、玄関先で祖母と別れたあと、父の運転する車に乗って、エレナは今、エルパソ国際空港へ向かっている。

「エレナ、忘れ物はないか」

父に尋ねられて、エレナは答える。

「ないよ。あるとすれば、おばあちゃんかな」

エレナのジョークに、父は豪快に笑った。

「それは愉快な忘れ物だ。古くて、伝統的で、口うるさい忘れ物だな。置いていくといい。俺がちゃんとめんどうを見るよ」

エレナも笑いながら、笑いのかけらを拾い上げるようにして、言った。

「ママの写真も入れたよ。いっしょに連れていくからね」

車内の空気が一瞬、研ぎ澄まされた、そんな気がした。

「ほら、形見の時計も腕に巻いてる」

この腕時計はもともと、父から母に贈られたものだった。

「ママの愛読書も入れた。日本語の本」

荷物を軽くするためには、入れるべきではないのか、と思ったけれど、それとこれとは話が別だ、とも思った。

エレナにはまだ、読みこなせていない日本語の小説『国境の南、太陽の西』——作者は村上春樹。アメリカでも有名な日本人作家、ハルキ・ムラカミだ。

母の本棚には、英語と日本語の両方のムラカミの小説がずらりと並んでいた。中でも、母がもっとも好きだったと思われるこの本を、エレナは母の形見にした。国境の南と言えば、それはメキシコで、太陽の西と言えば、それもまたメキシコだ、と、小学生だったエレナには思えたから。

「ああ、全部いっしょに連れていってやってくれ。マリアも喜ぶだろう。マリアがおまえを守ってくれるよ」

父の声がなぜか、遠くに聞こえる。

ルームミラーから吊り下げられている、父のお守り代わりの十字架のペンダントが揺れている。母の面影も揺れている。これは母から父への贈り物だった――。

エルパソから飛行機に乗って飛び立ち、ヒューストンで乗り換えて、向かう先は、ニューヨーク州にあるラ・ガーディア空港。

そこで、母の友人であるベスに出迎えてもらい、彼女とふたりで二日ほどマンハッタン観光をしたあと、彼女の住んでいる村、ニューヨーク州ウッドストックへ向かう。

マンハッタンから、列車に乗って、二時間弱。

最寄りの駅から、車でさらに二十分ほど。

野原と山々に囲まれた小さな芸術村、ウッドストックに着く。

これまで頭の中で、何度も想像してきたこの旅の果てには、何が待ってくれているのだろう。

飛行機で北東へ飛んで、車で北に向かう旅の終点には。


ロックの聖地として名高い、ウッドストック。

一九六九年八月十五日から十八日にかけて催された野外コンサート「ウッドストック・ミュージック・アンド・アート・フェスティバル」に、アメリカ全土から集まった人たちの数は、四十万人以上だったという。

その大半は、若者たちだった。

実際にコンサートがおこなわれたのは、近隣の村、ベセルにある広大な農地だった。

けれど、コンサートの名称として使われた「ウッドストック」は、歴史に残るこのイベントの象徴として、語り継がれることとなった。

コンサートの主催者や、当時、舞台で演奏したミュージシャンの何人かは今も、ウッドストックで暮らしているという。

エレナの旅の一番の目的は、ウッドストックとベセルを自分の目で見て、足で歩いてみること。そこに住んでいる人たちに会って、話を聞くこと。

それは、亡くなった母が果たし得なかった、夢の旅だった。

ウッドストックから遠く離れたテキサス州エルパソで、母は、父といっしょに、レストランの業務をこなしながら、

「いつか、ウッドストックへ行って、現地で取材をして、一冊の本を書きたい」

父にそんな抱負を語っていたという。

「英語でもスペイン語でもなく、日本語で書きたい」と。

母は学生時代から「将来はノンフィクション作家になりたい」と、夢見ていた。そのことはエレナも、母自身から聞かされて知っていた。

「書きたいことがたくさんある。日本語の本を書くことによって、私は自分のルーツと、つながっていたいんだと思う」

なぜ、ウッドストックだったのか。

実際にコンサートがおこなわれたとき、母はまだ生まれていなかった。

父によれば「マリアはロックが好きだったからだ」という。

でも、それだけなのだろうか。何かもっとほかに、理由があったのではないか。エレナにはそんなふうに思えてならない。

「知り合ったばかりのころ、彼女といっしょに映画を観に行ったんだ。ウッドストックのイベントの一部始終を撮影した、ドキュメンタリーフィルムだ。その映画を観て以来、マリアは『いつかウッドストックへ行きたい』と、言うようになっていた。自分の目でロックの聖地を見て、ラブ・アンド・ピースの村を自分の足で歩いてみたいって」

「ダッドといっしょに行きたいって、言わなかったの」

「うん、あいにく俺は、それほどロックが好きってわけじゃないし。映画の途中で昼寝をしてしまって、マリアに叱られた」

エレナは笑った。確かに父にはロックは似合わない。似合うのはやっぱりラテンミュージック。情熱的でホットな父と、知的でクールな母。

いったい、ウッドストックの何に、母は惹き付けられていたのだろうか。

この旅はきっと「母を知る旅」になるだろう。

エレナは、目の前で揺れている十字架にそっと、手を伸ばした。

まるで母がそこにいて、そこからふたりを、見つめているような気がした。

エピソード2 タイムトラベル

道生――田舎のねずみ

山々に囲まれたウッドストックをあとにして、父の職場のあるキングストンへ向かう幹線道路を走っているとき、これって、村から町へ出ていくって感じだよな、と、道生はいつも思う。

帰り道は、町から村へ戻ってくる感じ。

そう、まるでイソップ寓話の「田舎のねずみと町のねずみ」のように。

子どものころに、絵本か何かで読んだお話だ。

道生は頭の中で、ストーリーを思い浮かべてみる。

いつもは、畑で穫れる、麦やとうもろこしや大根を食べている田舎のねずみが町のねずみに招待されて、珍しいごちそうを食べに行く。

ごちそうというのは、今までに食べたこともない、チーズやパンだ。

町のねずみは、見せびらかしながら言う。

「ほら、ここには、こんなにもうまいものがいっぱいあるんだ。どうだ、ここで、いっしょに暮らさないか」

「わぁっ、すごい、うまそうだ」

いっただきまーす。よだれをたらしながら、ごちそうに食らいつこうとしたとき、突然、家のドアがあいて、何者かが侵入してくる。これは危ない！　一目散に、狭い穴に逃げこむふたり。侵入者はきっと、猫か人間だろう。

しばらくして静かになったので、穴から出て再び、ごちそうを食べようとしたら、再び侵入者が現れる。田舎のねずみは「やれやれ、こんな危険なところでは暮らせない」と言って、村へ戻ってゆく。

「どんなにおいしいごちそうがあったとしても、ぼくはやっぱり、平和で安全な場所で暮らしたいよ」

そこは「こんな退屈なところで、よく暮らしていけるね」と、町のねずみから呆れられた場所だ。しかし、村のねずみにとっては、そこがいちばん幸せで、楽しい場所なのだと思えている。

道生も、キングストンという町から、ウッドストックという村に戻ってくるときには、同じようなことを思う。

イソップさんの言いたいことは、幸せの尺度は人それぞれってことだろう。

どこが快適で、どこが自分にとって楽しい場所か、それは人によって、異なっているってことだろう。

世の中には、都会暮らしが好きな人もいれば、田舎暮らしが性に合っているという人もいる。

要は、自分の住みたい場所に住めばいい。

それが人の幸せってものだろう。

だったらぼくは？

と、道生は問いかける。

おまえはどっち派だ。田舎か都会か。

日本へ戻れば、道生たちの家は東京の墨田区にあるから、そこはまあ「都会」と言えるだろう。しかし、東京都の中でも、墨田区界隈には、江戸情緒というか、昔ながらの風景というか、そういうものが漂っているエリアも多々あって、東京の「田舎」と言えないこともない。

折衷派かな。

いいとこ取りってところかな。

ま、とりあえず、ウッドストックで暮らしている今は、田舎のねずみだ。

きょうは、田舎のねずみは村へは戻らず、町から、さらなる大都会へ向かっている。

マンハッタン、すなわちニューヨークシティは、キングストンの何倍も、いや、何十倍も大きな都会だ。

ごちそうもいっぱい出るだろうが、危険だっていっぱいあるだろう。

田舎のねずみは、それでもわくわくしている。

だって、マンハッタンのあとは、飛行機に乗って、軽〜くひとっ飛び。

北米大陸を斜めに横断して、さらに、さらに、でっかい世界へ行くのだ。

テキサス州の面積は、日本の約二倍。人口は、東京の約二倍。

何もかもが大きいと言われているテキサス州へ。

土地もでかいし、家畜(かちく)も人もでかい。

道路も建物もでかい。

モールも店もレストランも、料理もでかい。

飲み物はバケツみたいなカップで出てきて、ハンバーガーは人の顔ほど大きいらしい。ほんとかな。

とにかく「大きいことは、すばらしい」とされている州。

よって、テキサス州民の心もでっかい、ということらしい。

でっかい心とは、つまり、寛容で寛大であるってこと。これは実にすばらしい。

ビジネス出張でヒューストンへ行ったことのある父によると「テキサス人は非常に礼儀正しくて、英語もていねいだ。ニューヨーク人とは雲泥の差がある」とのこと。

州のポリシーは「自主自立の精神」と「ひとつ星のプライド」で、州の旗には星がひとつしか付いてない。

なぜ、ひとつ星、ローンスターなのか。

テキサスはもともとメキシコの領土だった。

メキシコからの分離と独立を目指す人々がメキシコ共和国軍とのあいだで激しい戦いをくり広げて、メキシコからの独立を果たし、テキサス共和国という独立国になったのは、一八三六年。

その九年後に、アメリカの二十八番目の州として合衆国に併合された。

メキシコとの独立戦争において、もっとも有名なアラモ砦の戦いでは、十三日間にわたってメキシコ軍に包囲され、テキサス軍はいったん全滅するのだが、その後、猛烈な勢いで巻き返して、リベンジする。

それほどまでに望んでいたのが独立であった、ということだろう。

独立を勝ち得るために、一致団結して難局を乗り切ってきたことに対するプライド。

その象徴としての、ひとつ星なのだ。

インターネットで調べて得た情報を思い出しながら、道生は気勢を上げる。

いざ、行くぞ〜何もかもがでっかい、ひとつ星の州へ。

まさに、まさに、タイムマシンに乗って、まだ見ぬ未来へ旅する気分だ。

これぞ、冒険家！

エレナ――カウガール

エルパソ国際空港を飛び立った飛行機は一時間ほどで、ヒューストンに到着した。

アメリカ航空宇宙局（ＮＡＳＡ）のジョンソン宇宙センターや、ヒューストン宇宙センターがあって、宇宙産業で栄えている大都市。

エレナも過去に一度、両親といっしょに訪れたことがある。

ここはまだ、テキサス州だ。

何もかも、でっかい。「エブリシング・イズ・ビガー」——これがテキサス人の合言葉。

冗談みたいにでっかい空港内には、カウボーイハットをかぶった男性の姿が目立つ。

カウボーイハットに、チェック柄のワークシャツに、ブルージーンズに、太めのベルトに、登山のできそうな頑丈な靴か、ワークブーツ。その昔、馬に乗って、牧場で牛といっしょに仕事をしていた人たちの定番ファッション。

今もそういう仕事をしている人たちは、いることはいるけれど、少なくなった。

現代のカウボーイたちの乗り物は、ピックアップ・トラック。荷台に荷物をいっぱい載せることができる、頼りになる小型トラック。小型トラックだけれど、でっかい車。もちろん、父の車もそれだ。色はシルバーグレイ。

でっかい乗り物と、テキサスの男たちの制服みたいなカウボーイファッションがエレナは大好きだ。

父もいつも、似たような格好をしている。

父だけじゃない。エレナも似たような格好をしているし、母もそうだった。

祖母はそれをいやがって、母にもエレナにもスカートをはかせようとしたけれど、

「そんな格好じゃあ、走れないし、山にも登れないし、仕事もできない」

「スカートが足に巻き付いて、歩きにくい」

「第一、馬にも乗れないよ」

ふたりとも同じようなことを言って、笑いながら、断っていた。

エレナと母は、趣味で乗馬をしていた。エレナは今もしている。

「そうだよ、こんなひらひらした格好、おばあちゃんみたいなお姫さまならともかく、わたしとママは、勇敢なカウガールズなんだから」

カウボーイという言葉があるように、カウガールという言葉もある。

エレナは、自分がテキサス生まれのカウガールであることに誇りを持っている。

カウガールであるためには、いつだって馬に乗れるような格好をしていなくちゃ。

馬が好きだ。馬はいい。でっかい体に聖なる魂を宿した動物だと思う。

乗馬の先生が教えてくれた話によると、人にはそれぞれスピリチュアルアニマルという動物が付いているらしい。スピリチュアルアニマルとは、守護神になってくれるような動物。

エレナの場合、それは馬だなと思っている。

「私はパンダかな」

と、母は言っていた。

「パンダって、平和主義者でしょ。竹だけを食べて生きてるんだから」

「馬も平和だよ。草だけを食べてるもの」

幼かったころ、母と交わした会話が浮かんでくる。

「ママ、わたしね、大きくなったら、お馬さんに乗って殿堂入りするよ」

「すてき！　私もいっしょにする！」

ニューヨーク州に野球の名誉殿堂があるように、テキサス州にはカウガールの殿堂なるものがあって、毎年、さまざまな分野で活躍した女性が殿堂入りを果たしている。テキサスで育った女の子なら、誰でもいつかはそこに入りたいとあこがれる。

今のエレナは、ただ、あこがれているだけではない。

何か自分にしかできない目標を追求して、何かを成し遂げて、その結果としての殿堂入りをしたい。

でも、自分に何ができるのか、何がしたいのか、それはまだつかめていない。

搭乗口の前の待ち合いコーナーで、搭乗開始を待ちながら、エレナは鞄の中から、くすんだブルーの本を取り出して、何も考えないまま、ぱっと、開く。

カバーの掛かっていない単行本『国境の南、太陽の西』――。

母はなぜ、カバーを外して、裸の本だけを持ち続けていたのだろう。ほかの本には全部、カバーや帯が掛かっているのに。

ぱっと開いたページにはたいてい、母が鉛筆で四角く囲んだところがある。その中に書かれている文章を拾い読みする。

これがエレナの形見の読み方になって久しい。

これが地上のエレナと、天上の母が「会話できる」ひとときなのかもしれない。


そのときの彼女の手の感触を僕は今でもはっきりと覚えている。それは僕が知っている他のいかなるものの感触とも違っていた。そして僕がそのあとに知ったいかなるものの感触とも違っていた。それは十二歳の少女のただの小さくて温かい手だった。でもその五本の指と手のひらの中には、そのときの僕が知りたかったものごとや、知らなくてはならなかったものごとがまるでサンプル・ケースみたいに全部ぎっしりと詰め込まれていた。彼女は手を取りあうことによって僕にそれを知らせてくれたのだ。そのような場所がこの現実の世界にちゃんと存在することを。僕はその十秒ほどのあいだ、自分が完璧な小さな鳥になったような気がした。僕は空を飛んで、風を感じることができた。空の高みから遠くの風景を見ることができた。——

そこまで読み進めてきて、エレナは本から顔を上げると、空港ビルの窓ガラスの外に広がっている空に目をやった。

まるでそこに、母がいるかのように。

それから再びページに目を落として「僕」を「ママ」に置き換えて読んでみる。

ママは今、完璧な小鳥になって空を飛びながら、風を感じながら、天上からこの空港ビルとわたしを、見下ろしているのだろうか。ママは、わたしの温かい手と、わたしの五本の指の感触を、まだ覚えてくれているだろうか。

わたしは覚えているよ、ママ。

三十分ほど待って、ニューヨーク行きの飛行機に乗り換えると、テキサスからニューヨークへ、観光旅行かビジネス出張に出かける人たちと、テキサス旅行を終えてニューヨークへ戻る人たちが半々くらいになった。

胸に野うさぎのイラストが描かれているTシャツを着ているわたしは、どっちに見えるだろう。

田舎から都会へ遊びに行くうさぎか、田舎から都会へ戻っていくうさぎか。

そう思ってから、エレナは「ふふっ」と頬をゆるませて、ひとり笑いをした。

田舎から都会へ遊びに行く、カントリーガールに決まってる。

Tシャツの上にはジージャン、下半身はブルージーンズで、足にはショートブーツ。頭にはカウボーイハット。

でも、旅行鞄の中にはちゃんと、黒いTシャツと、スニーカーと、ヤンキースの野球帽も入れてある。マンハッタンに着いたら、一丁前のシティガールに変身するつもりだ。黒いレギンスも持ってきた。これはランニング用。

マンハッタンでも、スカートは決して、はかない。

エレナはスカートが大嫌いだ。ロングもミニも嫌いだ。ワンピースも嫌いだ。

ひらひらしている、赤いスカートなんて、もってのほか。

女の子はジーンズに限る、と思っている。

これは、エレナの母の考え方であり、好みでもあった。

母は昔から、エレナに男の子っぽい服を買ってくれた。

反対に、赤いものやひらひらしたもの、かわいいもの、幼い子用のものを着せたがる祖母に対して、母はいつも柔らかく、けれど容赦なく反論してくれた。

「女の子だからと言って、赤を身に着けなくちゃならないなんて、とっても変よ。何色でも、エレナには、彼女の好きな色を着させてあげたい。女の子だから、かわいく見えなきゃならないなんて、そんなのおかしい」

祖母には通用しない意見だったのかもしれない。

でも、エレナは、母のそういう考え方が好きだった。

女の子は赤、男の子は青。女の子はかわいく、男の子は勇ましく。

そんなばかばかしい考え方を、母は、ほうきでごみをさぁーっと掃くようにして、片づけてくれたものだった――。

ひとりで過ごしているとき、エレナはいつも、過去へ旅をしている。

母が生きていて、自分のそばにいてくれた、過去への旅。

ニューヨークに向かって飛んでいく旅の中に、もうひとつの旅が存在しているような気がする。

大きな旅の中に、小さな旅がいくつも。

その旅の名は「タイムトラベル」――時間旅行。

道生——赤いスカート

車の窓越しに見える、うしろへうしろへと流れていく景色は、道生にとってすでに見慣れたというか、見飽きたというか、もう何度も目にしてきたから、特に驚きも感動もない、カントリーサイドの眺めだ。

森、野原、ときどきショッピングモール。

二車線プラス、対向車線二車線の道路脇に広がっている森の樹木は、まだ裸木のままで、なんだか寒そうに見える。それでも、遠くの山々が赤みがかって見えるのは、樹木の枝先に吹き出している赤い芽のせいなんだろう。

運転席と助手席に乗っている父と兄の会話を、道生は後部座席で聞くともなく、聞いている。

「……それでさ、あわてて、セクシャルハラスメント・マニュアルっていうのを作ったんだよ。今後のためにも」

「へえ、それは大変だったね」

道生も前に父から聞かされていた職場でのセクハラ騒ぎについて、父は再び兄に語って聞かせている。

父が責任者として働いている自動車メーカーの支社を視察するために、日本から訪れた社員のひとりが父へのお土産として持参してきた日本の週刊誌。

その表紙には、水着姿の若い女性の写真が出ていた。

父はうっかりして、それをデスクの上に置いたまま、ランチに出かけた。

その結果、父は部下の女性社員から「これはセクシャルハラスメントである」として、抗議を受けた。

「あれはまずかった。俺の失態だ。日本ではどうってことないようなことでも、こっちでは犯罪になるってこともあるからさ」

「逆もあるけどね」

「しかし、日本の場合、男性にはゆるくて、女性にはきついって決まりが多いよね」

「あるある！　陽子さんもよくそう言ってる」

陽子さんというのは、道生の母の名前だ。兄は母を「陽子さん」と呼ぶ。母はその呼ばれ方を気に入っている。

大学で「女性学」の授業を取っている兄が話している。

「男だからこそ、女性学を学ぶべき」という母のアドバイスによって、兄はこのクラスを取ったという。

「たとえば、レイプ。これは、レイプされた女性にも責任はある、と主張する人がいる。短いスカートをはいていたからだ、とか。けど、僕はそうは思わない。だって、泥棒をされた人の方に責任があるって、絶対に言えないでしょ」

父は大きくうなずいている。

「言えないな、それは。あとさ、男性にはゆるくて、女性にはきついといえば、売買春じゃないかな。日本の場合、売る側ばかりが悪者にされるけど、買う側はあんまり罰せられない。あれって、どうかと思うね」

「アメリカじゃあ、あれだもんね、幼い女の子の裸の写真を持っていただけで、刑務所送りだもんな」

「日本だって、それくらい厳しくしてもいいんじゃないかと思うよ、俺は」

「幼児ポルノを禁止する法律を作ったとき、日本ではアニメや絵画だけを例外にしたんだよ。表現の自由とかいう理由で。そのせいで、日本ではとんでもない幼児ポルノが今でも跋扈してるってわけ」

興味深い話だな、ぼくも意見を言いたい、と思ってはいるものの、ゆうべの睡眠不足のせいか、うとうとしてきたので、道生は後部座席に身を横たえて、まぶたを閉じた。


いつのまにか、夢を見ていた。

女の子のスカートがひらひらしている。

風が吹いているから、ひらひらしているのだろうか。

理由なんてわからない。

とにかくひらひらしている。

赤いミニスカートだ。スカートの下に隠されているものが今にも見えそうで、でも、見えない。

なんだろう、これは。

誰なんだ、これは。

日本のアニメ映画で観た一場面のような気がする。

でも、タイトルも作者も主人公も思い出せない。

思い出そうとしているうちに、女の子の姿は消えて、道生は現実の世界にいた。

あくまでも、夢の中での、現実の世界だ。

夢の現実の中で、道生は村のねずみになっていて、しかし、道生のまわりには、中学校の友だちがいて、先生もいて、高校生もいて、全員、人間だ。

夢と現実の境目があいまいな夢だ。夢と現実のあいだをさまよう旅だ。

ああ、これは一週間ほど前に受けた、ディベートのやり方を学ぶ授業だ。

夢の中で、道生は思い出している。

田舎（いなか）のねずみは、みんなといっしょに町へ出かけて、町の高校で、実際に高校生たちがやっているディベートを見学した。

テーマは「日本のアニメの是非（ぜひ）を問う」——これは夢ではなくて、本当にそうだった。

ディベートというのは、あるテーマに対して、賛成派と反対派が議論を交（か）わし合う討論会で、最後に、会場に集まった人たちの投票によって勝ち負けを決める。

そのとき見学したディベートは、自分の意見とは関係なく、反対派に振（ふ）り分けられたら反対派として、賛成派に振り分けられたら賛成派として、相手を打ち負かすべく議論を戦わせる、という前提でおこなわれていた。

だから、仮に日本のアニメの熱心なファンであっても、反対派に回されたら、反対意見を展開しないといけないし、たとえばテーマが「戦争の是非」であれば、戦争賛成派に振り分けられた場合、戦争は正しくないと思っていても、正しい、と主張しなくてはならない。

このような方法を採用することによって、生徒たちは、より有効な議論のやり方を習得していく、というわけだ。

世界中で人気のある日本のアニメは、もちろんアメリカでも大人気で、道生のクラスにも、熱烈なファンは大勢いる。日本のアニメが好きだから、日本語を学ぶことにした、という友人も少なくない。

「日本語の台詞がすらすら読めて、すべてを原語で理解できるおまえがうらやましい」

そんなふうに言われたことだって、ある。

当の道生はといえば、日本のアニメに、そこまで入れあげているわけではない。アニメよりは、活字が詰まっている本の方が好きだ。

かといって、別に嫌いというわけでもない。

まあ、好きでも嫌いでもないってところか。

再び、赤いスカートが登場する。

風もないのに、ひらひら、ひらひら――。

エレナ――ブルーの腕時計

ヒューストンを飛び立った飛行機が水平飛行に切り替わった。

ニューヨークまでの飛行時間は、およそ五時間半。

機内食は出ない。スナックと飲み物のサービスが始まった。

エレナは、鞄の中からオレンジを取り出して、皮をむいて食べる。

それから、腕時計の針を一時間、進める。

テキサス州とニューヨーク州の時差は一時間。ニューヨークの方が先へ進んでいる。

飛行機の到着予定時刻は、午後五時過ぎ。

それはテキサス時間では、午後四時。

当たり前のことなのかもしれないけれど、エレナはいつも「時差って不思議だな」と思ってしまう。同じ地球、同じ国で暮らしているのに、どうして、時刻はばらばらなんだろうって。

あるとき、友だちに話したら、笑われた。

「そんなの、当たり前でしょ」

「地球が丸いからだよ。丸くて、回っているから」

ふたりに対して、エレナは言い返した。

「地球が丸くて回っていたら、どうして、時計が違ってくるの」

別の友だちがわかりやすく解説してくれた。

「あのね、地球にはね、太陽の光が当たってるでしょ。地球は平面じゃなくて、丸いから、太陽の光が当たるところと、当たらなくて、影になるところができるでしょ。光が当たっているところは昼で、影のところは夜だよね。だから昼と夜をおんなじにはできない」

それでもまだ、わからなかった。

「だからといって、無理に時間を変えなくても……」

「無理に変えてるわけじゃない、自然に変わってるってこと」

エレナの感覚からすれば、アメリカが昼間のとき、日本は夜になる必要はなくて、日本も昼間でいいんじゃないかと思った。

「そんなことしたら、日本人は夜にランチを食べなきゃならなくなる。昼が暗いって国ができたら、かわいそうじゃない」

「じゃあ、お昼にランチを食べるために、時差を決めたってこと?」

「ああ、もう、エレナはお話にならない！」

そんな会話を思い出しながら、左の手首に巻いてある腕時計(うでどけい)を見つめる。

この時計もまた、母の形見だ。

アンティーク風の美しい時計で、ベルトはブルー、文字盤(もじばん)にもブルーの宝石、サファイヤがちりばめられている。父から母へのバースデイギフト。

母は九月生まれで、誕生石はサファイヤ。それに父は、母の好きな色がブルーであることをよく知っていたから。

母は肌身離(はだみはな)さず、この時計を手首に巻いていた。

母が亡(な)くなったときにも、血だらけの腕に、はまっていたという。

母の命の時計は止まってしまったというのに、このブルーの時計は生きて、動いていた。救急隊員が医師に告げたことを、医師がエレナたちに教えてくれた。

以来、肌身離さず、身に着けている。シャワーを浴びているとき以外、外したことはない。

毎日、夜、眠(ねむ)る前にねじを巻く。

時計を着けたまま、眠る。

飛行機の小窓の外に広がっている雲海を見つめながら、エレナは思う。

時間って、本当に不思議だ。

時差と同じで、伸びたり、縮んだりする。

過去という時間は長かったり、短かったりする。

未来という時間も長かったり、短かったりする。

時間って、なんだろう。時間って、どこにあるんだろう。

過去に過ぎた時間も、未来に存在している時間も、それを正確に把握することはできない。

過去の時間は記憶になってしまうし、未来の時間は未知に包まれている。

ということは、時間というのはすなわち、一瞬、一瞬に過ぎないのかもしれない。

この時計が刻む一秒、一秒。

本当の時間は、ここにしか、ないのかもしれない。そう、この一秒にしか。

こんなことを言ったら、また友だちに笑われるのかな。


座席の前ポケットに入れてあった、くすんだブルーの本を膝の上に置くと、エレナはぱっとページをあけて、そこにある、母が囲んだ文章を読む。時間旅行をするために。

あるいは僕は幻のようなものを見ていたのかもしれない、と思った。僕はそこに立ったまま、通りに降る雨を長いあいだ眺めていた。僕は自分がもう一度十二の少年に戻ってしまったような気がした。子供の頃、僕は雨降りの日には、よく何もせずにじっと雨を見つめていた。何も考えずに雨を見つめていると、自分の体が少しずつほどけて、現実の世界から抜け落ちていくような気がしたものだった。おそらく雨降りの中には、人を催眠術にかけてしまうような特殊な力があるのだ。少なくともその頃の僕にはそう感じられた。

エレナは思い出す。

母は雨降りの日が好きだった。

年間降雨量が十インチ（二五四ミリメートル）を下回るエルパソで、母はいつも、雨が降ると、庭に飛び出して、雨の中で両腕（りょううで）を広げてくるくる回っていた。

日本の雨が恋（こい）しかったのだろうか。

年間降雨量六十インチ以上もあるという日本の雨。

エレナは、母の国、日本へ行ったこともなく、日本の雨を見たこともない。

いつか、母といっしょに行きたかった国、母の生まれ育った日本。

島本さんは何も言わずに僕を見ていた。彼女の顔にはずっと同じかすかな微笑みが浮かんでいた。それはなにものにも決して乱されることのない静かな微笑みだった。でも僕はそこに彼女の感情というものを読み取ることができなかった。その微笑みは、その向こう側に潜んでいるはずのものの姿かたちについて、何ひとつとして僕に教えてはくれなかった。その微笑みを前にしていると、僕は一瞬自分の感情までをも見失ってしまいそうになった。僕は自分がいったいどこにいるのか、自分がどちらを向いているのか、まったくわからなくなってしまった。

――


それはそのまま、エレナが病院で、亡くなった母に対面したときの気持ちだった。

あの日、母は何も言わず、不思議な微笑みを浮かべて、エレナを見つめていた。

あんなにもひどい事故を起こして、大怪我をしていたというのに、なぜか、頬には笑みが浮かんでいた。まぶたは閉じられていたけれど、確かに「見つめられている」と感じていた。

母はあの日「向こう側」へ行ってしまった。

まだ生きて動いているブルーの腕時計を手首に着けたまま。

道生(みちお)――星条旗

はっと目を覚ました道生は、後部座席で身を起こして、まぶたをごしごしこすった。父と兄は会話に疲(つか)れたのか、今は黙(だま)って、前を向いている。

カーラジオからは、父の好きなザ・バンドの歌が流れている。

台所で料理をしているとき、父がいつも聴(き)いているザ・バンドは、ウッドストックのロックフェスでも演奏したグループだ。彼(かれ)らは、ボブ・ディランと仲が良かった。ディランとザ・バンドのメンバーが一時期いっしょに暮らしていた家は、ウッドストック郊外(こうがい)に今もあって、そこはビッグ・ピンクと呼ばれている。

いつだったか、散歩の途中(とちゅう)で兄といっしょに訪ねてみたこともある。なんの変哲(へんてつ)もない、くすんだピンクの家だった。今は宿泊施設(しゅくはくしせつ)になっている。なんと、一泊(ぱく)五百ドル以上もするらしい。

ザ・バンドの音楽を聴いているうちに、彼らの音楽とは関係なく、なぜ赤いスカートが夢に出てきたのか、その理由が道生にはわかってきた。

あの日、ディベートのさいちゅうに、反対派に属しているひとりの女子高校生がこんな意見を主張した。

「日本の有名なアニメに、こんな場面があります。風もないのに、いつも少女のミニスカートがひらひらしている。ひらひらさせることによって、挑発しているのです。あれは、少女を『男性の性の対象』として描こうとしている作者の、無意識かもしれないけれど、潜在的な意図がそこにあるからです。日本のアニメには、幼児虐待につながる無意識の挑発があり、誘導があります。あのような少女の描かれ方は、正しくありません。間違っています。少女の体を性的な商品にして、消費することは、正しくありません。悲しいかな、それを支持している女性も多いと聞きます」

日本語に直せばそういう意味のことを、彼女は肯定派に向かって叩き付けた。

教室内では、大きな拍手が起こった。

「赤いスカートをはいていても、かまいません。でもそれは、ファッションとしての赤いスカートであって、赤いスカートの下に存在している肉体を想像させるような描かれ方であってはいけないのです。もしも、日本社会が少女の体を売り物にしているなら、それは間違った社会です」

目を白黒させながら、道生は彼女の発言を聞いていた。

日本社会が？　少女の体を？　売り物に？

「間違っている証拠として、日本アニメのファンは、お気に入りの少女のことを『ヨメ』と、アメリカでは『マイワイフ』と呼んでいます。気持ち悪くないですか。幼女が妻であるって、おかしくないですか。おかしいですよね」

彼女の発言の意味がすべて完璧に理解できていた、とは言い難い。

もちろん、察することはできた。話題や表現方法は異なるけれど、母からも似たような話を聞かされてきた。母は日本のポルノ産業を「男の下半身に甘過ぎる。あれは世界の恥」とまで言っている。しかし、母が日本のアニメを話題にしたことはなかった。彼女が日本のアニメをほとんど見ていないせいかもしれない。

今度、日本に帰国したとき、母にこの話をしてみよう。

無意識かもしれないけれど、潜在的な意図？　無意識の挑発？

ひとつひとつの言葉は、辞書で引けば、そこに意味は載っているだろう。

しかし、たとえ言葉の意味を理解しても、まだその先には、その奥には、理解できていないことがあるに違いない。

幼児虐待につながる無意識の挑発があり、誘導がある？

って、どういうことだ、わからない。

意識していないのに、挑発や誘導ができるのか。

それって、相当に、恐ろしいことなのではないか、アニメの作者にとっても、ファンにとっても。

わからない発言が、わからないからこそ、道生の心に残った。

突き刺さった、と言ってもいいだろう。安全ピンのように、押しピンのように。

たかが赤いスカートひらひら。されど赤いスカートひらひら。

それを「かわいい」と、感じる人もいれば、それを「性的な挑発」と、とらえる人もいる。

おそらく、そういうことだろう。

田舎のねずみと、都会のねずみの話と、同じなのかもしれない。

何が幸せで、何が幸せでないか。

何が正しくて、何が正しくないか。

答えはひとつではないのだろう。

答えは、どこにあるのだろう。

フロントガラスの向こうに、ジョージ・ワシントン・ブリッジが見えている。

橋の向こうはマンハッタンだ。

赤と白と青の星条旗が揺れている。

きっと、風が吹いているからだろう。

あの国旗は、風があるから、揺れている。

女の子のスカートが風もないのに揺れるのは、確かにおかしい。

正しくない、と言ってもいいのかもしれない。

揺れる星条旗を見つめながら、道生は思った。

「正しさ」ってなんだ?

それは、これから始まる旅の中で、道生が何度も何度も、頭が痛くなるほどくり返し、自分に向かって尋ねることになる問いかけの、第一号だった。

エピソード3

出会いとすれ違(ちが)い

エレナ――自由の女神

「ハーイ、エレナ、ここよ！　私はここにいる、エレナー」

空港ビルから出口に向かう通路に出たとたん、あたりの空気が割れるほど、よく響く声に出迎えられた。

声のする方を見ると、待ち合わせの目印にしていたコーヒーショップの手前に立って、自分に向かって手を振っている女性の姿があった。

ベスだ！

長身で銀髪のロングヘア。黄色いTシャツに深緑のロングスカート。その上から、まるで魔法使いみたいな黒いマントを着て、とんがり帽をかぶっている。

これじゃあ、間違いようもない。

思わず知らず、エレナの頰に笑みが浮かぶ。

ベスのファッションは、あらかじめ送ってもらっていた写真と、そのまんま、おんなじだった。写真には「魔法使いのベス」と、キャプションが添えられていた。

「こんにちは、ベス。お出迎え、ありがとう。あなたに会えて、わたしはとてもうれしいです。これから大変お世話になります」

ハグのあと、エレナはていねいな英語で挨拶をした。

英語には、日本語にあるような敬語はない、と言われているけれど、そんなことはない。いろんな形の敬語がある。ていねい語もあるし、謙譲語もある。特にテキサス人の英語はていねいだ。ぶっきらぼうな口調で話す人なんて、まずいない。知らない人、通りすがりの人であっても、ていねいに話す。

「どういたしまして、ようこそ、ビッグアップルへ！　ああ、ずっと、楽しみにしていたのよ。大きくなったわね、エレナ」

ベスは、自分の腰のあたりまで上げていた手のひらを、エレナの頭の上に載せながら、目を細めている。

ビッグアップルというのは、ニューヨークシティの愛称だ。

「このあいだ会ったときには、ここまでしか背丈がなかったのに、いつのまに、こんなに大きくなったの。とうもろこしみたいだわ」

このあいだ、と言ってもそれは、かれこれ十年近く前のことになる。

「はい、テキサス産のとうもろこしです。バターを塗って、かじってみますか」

ジョークにはジョークを返すのが会話のエチケット。

「じゃあ、遠慮なく、がぶりと食らいつくわよ。覚悟はいい？」

「赤ずきんになります」

タクシー乗り場に向かって歩いていきながら、軽快に会話を交わす。

「赤ずきんちゃん、どうだった、飛行機のひとり旅は」

「はい、楽しかったです。雲の切れ間からニューヨークの街が見えてきたときには、感動しました。自由の女神も見ました。小ちゃくて、かわいかった！」

「あははは、そうよね、レイディ・リバティも、空から見ると、チェスの駒みたいよね。あれは、チェスの駒の女王さまだねって、これはマリアが言ってたことなんだけど」

空から見ると、と、ベスが言ったとき、エレナは「空」という言葉に、母の存在を重ね合わせていた。

わたしが母を亡くしたように、この人も親友を亡くしたんだな。

この人の胸の中にも、母の形をした思い出が棲んでいるのだろう。

母の死を通して、この人とわたしは「つながっている」——こんなふうに思うのは、これが初めてだとエレナは気づく。

「ところで、あなたのダディは、ハンサムさんはお元気？」

「はい、とっても元気です。ベス、あなたによろしく、とのことでした」


ベスに会うのは、これで三度目だ。

一度目のことは、まったく覚えていない。

なぜならそのとき、エレナは赤ん坊だったから。

両親は、赤ん坊だったエレナを連れて、マンハッタンに遊びに来た。そして、大親友であるベスに、母は夫のアントニオと、エレナを紹介した。

二度目に会ったのは、エレナが五歳くらいのときだった。

そのときの記憶も、それほど鮮明に残っているわけではない。

確か、ベスがソーホーにあるギャラリーで個展を開くことになり、母はエレナを連れて、お祝いに駆け付けたのではなかったか。そのとき父はエルパソで留守番をしていた。店の仕事が忙しくて、休暇を取ることができなかったのだろう。

空港から乗りこんだタクシーの中で、ベスの思い出話が始まった。

ベスと母は、母が留学中だったコロンビア大学で出会った。母はジャーナリズムを学ぶ学生で、ベスは芸術学科で絵画を学ぶ学生だった。

「キャンパスで、すれ違ったの。私が落としたスケッチブックを、たまたま通りかかった彼女が拾ってくれた。それだけよ。なのに、目と目が合った瞬間、ピカッと稲妻が光って、すれ違いが出会いに変わったの。とっても不思議だった。前世からの知り合いみたいだった。カチッと、鍵穴に鍵がはまった音がした。だから、マリアがアントニオと結婚することになったときには、ショックだった。嫉妬したのよ。私のマリアを男に盗られたと思った。くやしかった」

「父もよく、おんなじようなこと、言ってました。マリアは俺よりもベスを大事にしている。だから俺はベスに嫉妬するって」

「まあ！　ほんとなの」

ベスの笑い声が響いて、車内の空気が揺れている。

「俺は大学時代の彼女を知らないが、ベスは知っている。そのことにも嫉妬するって」

「そうね、確かにあなたのダディは独占欲が強かった。マリアはそこに惚れたんでしょうよ、きっと」

「コロンビア大学って、どんな大学なんですか」

「マンハッタンのずっと上の方にある。ブロードウェイの百十六丁目」

ベスの説明が始まった。

コロンビア大学は、ニューヨーク州内ではもっとも古く、アメリカ国内では五番目に古い、歴史と伝統を誇る私立大学だ。アイビーリーグと呼ばれている、アメリカの有名私立八大学の一校でもある。

既成の価値観に縛られず、何よりも自由を重んじる校風で知られている。一九六八年にコロンビア大学で起こった学園紛争は、あっというまに全米に広がっていき、六九年のウッドストックのロックフェスへもつながっていく。

日本との関わりも深いという。

日本人で初めてノーベル賞を受賞した湯川秀樹は、受賞当時、コロンビア大学の助教授を務めていた。一九五〇年代には、仏教哲学者の鈴木大拙が長期にわたって在籍し、アメリカに、禅の思想や東洋思想を広めることに貢献している。

日本文学、日本経済、日本の政治、日本史などの研究も盛んにおこなわれており、コロンビア大学の日本文化研究所からは、ドナルド・キーンをはじめとする、世界的な研究者が多数、世に出ている。

　ベスの絵画もまた、東洋思想からの影響を受けているそうだ。

　エレナには美術のことはよくわからないけれど、ベスによると、

「私の描く絵にはね、必ず、絵の奥に『漢字』を埋めこんである」という。

「埋めているんですか、文字を」

「ぱっと見ただけじゃ、わからない。日本人でもわからない。絵の前に立ってね、じっと見つめて、穴があくほど見つめて、瞑想に近い状態になったら、その文字がすーっと浮かび上がってくる。マリアはわりと鋭かった。いえ、もしかしたら彼女は、当てずっぽうで言ってただけなのかもしれないけれど、それが当たることがよくあった」

「たとえば、どんな漢字ですか」

　簡単な漢字であれば、エレナにも書ける。

「ほら、木が三つで『森』になるでしょう。私が描いているのは、マンハッタンの高層ビルが林立している風景なんだけど、じっと見ていると、そこから木が、林が、そうして、瞑想が成功すると、森が見えてくるのよ」

「そう、そう、そうなのよ。ウッドがストックされているから、ウッドストックになるように。ビルが重なり合って、都会の森ができるのよ」

「わたしの母は、ビルの絵から、森という漢字を連想したってこと？」

「まあ、平たく言えばそういうことかしら」

「立体的に言っても、そうだったのかなぁ」

「あははは、エレナ、あなたには言葉のセンスがあるわ。マリアゆずりね、それは」

そんな話をしているうちに、タクシーは、複雑にからみ合った高速道路を走り抜け、いくつかの橋を渡って、マンハッタンの中心部へと入りこんでいく。

奥へ、奥へ、進んでいくにつれて、エレナは別世界へ迷いこんでいく。

なんて、ごちゃごちゃしているんだろう。

なんて無秩序で、入り乱れていて、雑多な街並みなんだろう。

広々としていて、のびのびとしていて、頭上にはいつも、無限の大空が広がっているエルパソの町とは、何もかもが違う。

そう、まるで、天と地のように。

道生（みちお）――ピープルウォッチング

奥（おく）へ、奥へ、進んでいくにつれて、道生は別世界へ迷いこんでいく。

なんて、ごちゃごちゃしているんだろう。

なんて無秩序（むちつじょ）で、入り乱れていて、なんて雑多な商店街なんだろう。

人も入り乱れているし、言葉も、匂（にお）いも、色も、入り乱れている。

ここは、チェルシーマーケット。

九番街とウェスト十五丁目が交差するあたりにある。

向かいには、グーグル社のリアル店舗（てんぽ）とニューヨークオフィスがある。

周辺一帯は、チェルシー地区と呼ばれていて、アーティストたちが多く暮らしている。ゲイのカップルも多い。男同士だけじゃなくて、女同士も。チェルシーからハドソン川へ向かって歩いていく通りには、ギャラリー街もある。

今までに、何度かマンハッタンへ遊びに来たことがあるものの、この界隈（かいわい）へ来るのは初めてだ。

「わあっ、すごい！」

「おお、あれはなんなんだ」

兄と道生は、目を白黒させながら、通路の両側にぎっしりと並んでいる店から店へ、気まぐれに歩き回っている。

「なんでもありだな」

「ないものはない！」

店の種類や売られている物は、まさに、ここ、マンハッタンで暮らす人たちの人種と同じで、アジアあり、ヨーロッパあり、中南米あり、アフリカあり、レストランあり、ブティックあり、スーパーマーケットあり、魚市場あり、とにかくなんでも「あり」なのだ。

「ニューヨークシティは、多民族国家アメリカの、縮図みたいなものです」

中学校の先生がそう言っていたのを、道生は思い出す。

白人の占める割合は半数以下。ヒスパニックとラテン系が三十パーセント、アフリカ系が二十五パーセント、そしてアジア系が十四パーセント。先住民がこれに続く。

移民たちの多くは、戦争や人種差別や飢餓などから逃れるために、アメリカという自由の新天地に渡ってきた。

ドーナツ屋、チーズ屋、酒屋、ジュース屋、魚屋、サンドイッチ屋、タコス屋、チョコレート屋、キャンディ屋、タイ料理レストラン、イタリアンレストラン、オイスターバー、寿司屋、その他わけのわからないレストラン。

食べ物の店が多いと思いきや、アクセサリー屋、本屋、花屋、ろうそく屋、カードショップ、家具屋、洋服屋、雑貨屋なども交じっている。

通路は狭いけれど、天井は妙に高い。

壁や天井には、組まれた鉄骨や、飛行機のプロペラみたいな扇風機がむき出しになっている。それもそのはず、ここはもともと、ビスケット工場だった。その建物の内部を改装して、屋内商店街を造ったのだ。

一時間ほど前に、父の運転する車で、今夜と明晩の宿泊先であるイェールクラブに到着した道生と兄は、さっそく市内観光に繰り出した。

父はクラブ内にあるラウンジで、仕事を兼ねたミーティングがあるという。

イェールクラブは会員制の宿泊施設で、父のようなイェール大学の卒業生や、関係者であれば、会員登録をした上で、利用することができる。もちろんその家族も。

「ま、手軽なところで、セントラルパークへでも行くか」と、兄。

「賛成」と、道生。

「ジョン・レノンのストロベリーフィールズとか、見に行く？」

「行く行く！　イマジン、行く！」

ふたりは意気投合して、クラブをあとにした。

その途中で、兄のスマートフォンに誰かからショートメールが入ってきて、路上でそれを読み終えると、兄は、

「行き先変更。目指すはチェルシーマーケットだ」

と、言ったのだった。

「誰か」とは、テキサス出身の、兄のガールフレンドで、父には内緒のようだが、兄はエルパソで彼女といっしょに行動する予定。その彼女は兄に「チェルシーマーケットで、私たちのために、買ってきてほしいものがある」と、土産のリクエストをしたらしい。

チェルシーマーケットでしか手に入らないという、特別なマグカップで、彼女の名前のイニシャル「I」が入っているものを、兄には同じカップの「T」を買え、という指示まであったという。

「やれやれ困ったもんだ」

兄はうれしそうにつぶやいた。全然、困っていないみたいだ。

しかし、肝心の店の名前が彼女にもわからないらしくて、探せども、探せども、特別なマグカップには出会えない。

兄はいらいらして、

「僕、ちょっと真剣に探してくるから、おまえはここで待ってろ」

ちょっと真剣、の意味はよくわからなかったが、とにかく兄はそう言い置いて、本屋の前に道生を残すと、雑踏の中に姿を消してしまった。

大学生には大学生なりの事情があるのだろう、と、道生は解釈し、納得し、本屋内をぶらつきながら、兄がカップを手にして戻ってくるのを待つことにした。


かれこれ二十分ほど、書店内をぐるぐる巡っている。

文芸書のコーナーにはＭＵＲＡＫＡＭＩの新作も並んでいた。道生はまだ一作も読んだことはないが、兄の好きな日本人作家、村上春樹の小説だ。日本のみならずアメリカでも、彼は絶大な人気を誇っている。道生のクラスメイトの中にもファンがいる。

その書棚の前に、なんとなく日本人のように見えないこともない女の子が立っていて、さっきから熱心に立ち読みをしている。カウボーイハットとジーンズがよく似合っている。日本ではあまり見かけないファッションだけど、すごく決まっている。

ひとりで「ちょっと心細く」なっていた道生は、思わずその背中に、声をかけそうになった。

「日本の方ですか」と。しかし、思いとどまった。

そういうことはするべきではない、と、父から教わっている。

「アメリカでは、あなたは何人で、どこから来たか、国籍はどこか、などと、尋ねるのは厳禁だ。相手が自分から言い出すまでは、こっちからは尋ねない。それがエチケットだよ」

いろんな人種の人たちがいろんなところからやってきて、みんなで集まって、仲良く暮らしている。それがアメリカなんだし、アメリカの中でも特にニューヨークシティでは、そして、シティの中心街であるマンハッタンでは、誰もが心得ているエチケットだ。

つまり、人種の多様性は、ここでは問題にも課題にもならない。

多様性は、初めからここにある。

どの民族がマイノリティ、つまり少数派で、どの民族がマジョリティ、つまり多数派なのか、決め付けるなんて、論外。少ないから力が弱くて、多いから強いなんて、そういう考え方は間違っている。何が正しくて、何が正しくないのかだって、その答えは、ひとつじゃない。ある人にとって正しいことが、ある人にとっては正しくない。宗教がその代表例だろう。しかし、それでいい。それを受け入れる。受け入れて、認める。従うのではなくて、尊敬して、認める。そういう思考回路。

それがこの街の特徴であり、移民国家の原点であり、原則なのだ。

そんな父の教えを、道生は今、自分の「目で見ている」のだと自覚している。

本を見ているつもりだったのに、道生はいつのまにか、人を見ている。

景色としての人間たちを見ている。

おもしろいなぁ、と、思っている。

人を見ていると、飽きない。

本当に、いろんな人がいる。

髪の色も、肌の色も、目の色も、ひとりとして同じ人はいないように、それぞれの人には、ひとつとして、同じ人生はない。

いつ、どこからやってきて、どうやってここにたどり着いたのか、想像しているだけで、楽しい。ウッドストックの森では、バードウォッチングが趣味だが、ここでは、ピープルウォッチングがおもしろい。

あ、戻ってきた。

女の子の姿が消えるのと入れ替わりに兄がやってきて、

「待たせたな」

にやりと笑って、紙袋を持ち上げる。

お揃いのマグカップを獲得できたようだ。

「よし、行こう」

再び通路に出て、歩き始める。前よりも人が多くなってきたので、前後に並んで歩く。先を歩いていた兄が振り返って、声をかける。

「おお、すげえな。あの店、見てみろよ。あの行列。なんなんだ、あれは」

「ほんとだ。あそこまで並んででも、食べたくなるようなものって、いったい何を売っているのかというと、それはなんと手打ち麺なのだった。しかも、都合がいいことに、ベジタリアン向けのメニューもある。ニューヨークでは菜食主義者は珍しくない。もっと厳格な、卵も乳製品も食べないビーガンも多い。

名前は「ビャンビャン麺」とも「ビョンビョン麺」とも読めるような、けったいなネーミングで、なんとはなしに中国風というか、台湾風というか。少なくとも和風ではなさそうだ。

あたりには、強烈な匂いが漂っている。赤唐辛子か、青唐辛子か、わからないが、とにかく「激辛」の匂いだ。

「おまえ、腹、空いてるか」

兄に問われて、道生はガッツポーズをする。

「うん、急に食欲がわいてきた」

「ほんじゃ、並んで食うか。それにしてもこの行列、万里の長城だな」

長い長い行列に耐えて食べた手打ち麺は、並んだだけの価値はあった。

麺の上から、どぎついほど赤い激辛のソースと、ぐちゃっとした茶色の具がかかっているだけの素朴な作りの料理、であるにもかかわらず、

「癖になるな」

兄の言葉にうなずいて、道生は言った。

「あしたも食べに来ようよ」

そのあとに、げっぷをひとつ。

エレナ――野の花

窓から射しこんできた朝の光がまぶしくて、エレナは目を覚ました。

ここはどこ？

一瞬、自分が今、どこにいるのかわからなくなった。

「おはよう、ラブリーでスウィートなカントリーガールさん！　ごきげんはいかが」

キッチンに立って、コーヒーを淹れているベスから声をかけられて、はっと気づく。

そうだった、ここはウェストビレッジにある、ベスのアトリエ兼セカンドハウス。

きのうの午後、空港まで迎えに来てもらって、ここまで連れてきてもらった。

シャワーを浴びたあと、近くのベイカリーカフェで軽めのサパーをベスにごちそうしてもらい、散歩がてら、ふたりでチェルシーマーケットへ買い物に行った。

本屋さんやブティックを覗いた。

地下のスーパーマーケットでフルーツを買って部屋に戻ると、そのままベッドに倒れこんで、朝までぐっすり眠ってしまった。

自分では疲れていないと思っていたけれど、体はしっかりと疲れていたのだろう。エルパソからニューヨークまで、大陸を斜めに北上する、渡り鳥みたいな旅をしてきたのだから。きょうは一日、マンハッタンで過ごしたあと、あしたは列車に乗ってウッドストックへ向かう。そして、森の中にあるベスの家に泊めてもらうことになっている。

「さてさて、本日の計画を発表します」

自分のためには濃いコーヒーを淹れ、エレナのためにはミルクたっぷりのカフェオレを淹れて、大きめのマグカップをエレナに手渡しながら、ベスは言った。

「私は午前中、ごく短めのビジネスがあるので、朝ごはんを済ませたら、いっしょに出かけましょう。あなたはハイラインへ行くといい。とてもおもしろい場所よ。いろんな楽しみ方ができる。私はホイットニー美術館のオフィスでミーティングがある。ミーティングが済んだら、待ち合わせて、それからいっしょにランチに行こう」

ハイラインというのは、ハドソン川に沿って南北に延びている遊歩道のような公園で、もともとは線路だったスペースを利用して造られているという。つまり、廃線路の跡をそのまま、散歩やジョギングのできる遊歩道に変えた、ということらしい。

「高い場所に道を造ってあるから、そこからすばらしい眺めを楽しむことができる。まさに、空中遊歩道ね」

ホイットニー美術館は、ハイラインの南の突き当たりにある。

待ち合わせの場所は、ハイラインのちょうどまんなかあたりにある噴水の前と決まった。

「いっぷう変わった噴水だから、見逃すことはない。ハイラインは一本道だから、迷うこともない。散策を楽しんでね。イベントもやってるし、いろんなお店も出ているから、エンジョイできると思う。困ったことがあったら、私の電話を鳴らしていい」


ベスと別れて、エレナはハイラインを歩き始める。

朝早い時間帯だから、だろうか、人の数は少ない。

朝の空気はすがすがしい。どこからともなく、焼き立てのパンの香りが漂ってくる。

昇ったばかりの太陽の光に包まれた摩天楼は、きのうとは打って変わって、瑞々しく、初々しく見える。まるで、生まれたばかりの街のように。

水色の空を、かもめが舞っている。

ときおり、ジョギングをしている人たちとすれ違う。

近くを流れるハドソン川から、ふいに吹いてくる風は、思いのほか、冷たい。

マンハッタンの三月は、冬のさようならと、春のこんにちはが、混じり合っているかのようだ。

エレナは、フード付きのジャケットのフードを頭にかぶった。今朝は、フードの下にはカウボーイハットじゃなくて、毛糸の帽子。想像していた以上に「ここは寒いな」と、ゆうべも今朝も思っている。

遊歩道の右手には、マンハッタンの街並みが広がっている。

縦と横の通りが規則正しく交差している。

移民たちが築き上げた街だ。

エレナは、小学校で学んだアメリカ史を復習する。

アメリカ大陸に最初に渡ってきたのは、ネイティブアメリカン、通称、インディアンたちだった。氷河期には、ユーラシア大陸とアメリカ大陸はひと続きだったから、インディアンたちはベーリング海峡を歩いて渡ってきたという。

そう、ここはもともと、インディアンたちの土地だった。

現在、ニューヨークシティにインディアンたちの姿がほとんど見られないのは、十七世紀に続々とやってきたヨーロッパ人たち、主にイギリス、ドイツ、オランダ、フランス、スペインなどからの移民によって、追い払われてしまったからだ。

その後、第一次世界大戦が起こると、南欧、東欧、イタリア、オーストリア、ハンガリー、ロシアなどからの移民が増える。大戦末期の一九一八年に起こったドイツ革命の失敗を受けて、ドイツからアメリカを目指す人々も増えた。

じゃがいもの不作による飢饉から逃れるために渡ってきた、アイルランドからの移民も多かった。そして、八〇年代になると、激しい迫害から逃れるために、東欧からユダヤ人たちも渡ってきた。西海岸やハワイへは、貧しい農村から、日本人もやってきた――。

空中遊歩道の上から街を見下ろしていると、路地やビル街から、アメリカの歴史が浮かび上がってくるようで、いつまで見ていても、飽きない。

ベスが言った通りだった。

おもしろいものは、ほかにもあった。

エレナは、ちょっと歩いては足を止めて街並みを眺め、またちょっと歩いては、歩道の脇に植えられている草花を観察する。スマートフォンで写真を撮る。あっというまに、植物図鑑ができそうだ。

これは、なんだろう。

この、ほうきみたいな背の高い草は。

これは？

この、小さな鈴みたいな花を付けている草は。

どれも、エルパソでは見かけることのない植物ばかりだ。ベスから教わっていた。

「植物はね、ぜーんぶ、雑草。つまり野の花。線路跡に生えていた雑草をそのまま全部、遊歩道に移植したの。だから、ちょっと地味な感じがする。でもそれがいいの。チューリップとか、パンジーとか、花屋で売られているような花じゃなくて、野の花だから。線路跡には、野の花が似合う」

すてきだと思った。素直にそう思った。今も思っている。

人工的に造られた遊歩道に、線路跡で茂っていた雑草をそのまま植えている。

そういう発想が「ニューヨーカーっぽいな」と、エレナは思う。

ニューヨーカーっぽいって、どういう感じ？　と訊かれても、うまい答えは返せないけれど、なんだろう、クリエイティブなものに、ワイルドなものを組み合わせているところが「おしゃれだな」と思う。

半分ほど枯れた雑草に、小さな小さな花が付いている。

寒風にさらされながらも、しっかりと息づいている。

エレナは、その健気な姿に見とれた。

野の花みたいな生き方ができたらいいな。

花壇の中に、整然と植えこまれた花ではなくて、野の花みたいに、自由に。

花を咲かせて、実を付けて、風に種を飛ばされて、新しい土地へ旅をして、旅先で根づいて、またそこで、花を咲かせる。そんな生き方。

自由に生きる方法は、幾通りもあるような気がするけれど、その実、方法はひとつしかないような気もする。

あ！　あれが噴水か。

確かに、いっぷう変わった噴水だ。

立ち止まって、エレナは噴水を見学する。

女性たちの彫刻が立ったり、座ったり、寝転んだりしている。

いろんな女性の姿だ。母親の姿もあれば、幼い女の子の姿もある。

変わっている、と思えるのは、彼女たちの目の部分から水が湧き出て、流れ出しているというところ。そのせいで、全員が号泣しているようにも見える。

女性たち、なぜ、みんな、泣いているわけ？
何か悲しいことでもあるのだろうか。
それとも、女性であることが悲しいの。
でも、わかんない、どうして？
この彫刻を、この噴水を造った人、何が言いたいの。

道生――雷

ああ、情けない！
健康だけには自信があったのに、ぼくとしたことが。
情けない！　くやしい！　いまいましい！
まるで、自分の体に裏切られたようだ。
しっかりしろ！
さっきから道生はさかんに、叱咤激励をしている。
しかし悲しいかな、体も足も言うことを聞いてくれない。

立ち上がって、背筋を伸ばしてみるものの、たちまち足がふらついて、その場にしゃがみこんでしまう。

ここは、ハイラインという名の、細長い遊歩道。全長は約二・三キロ。

ニューヨークセントラル鉄道の支線だったウェストサイド線が廃線となったあとに、高架線の跡地をそのまま利用して造られた公園だという。

朝食のあと、三人でジョギングに出かけようとしているとき、イェールクラブのフロントのスタッフが教えてくれた。

「信号もないし、眺めもいいし、走りやすいですよ。ランナーにとっては、これ以上のランニングスポットはありません」

さっそくそこへ向かって、走り始めた。ハイラインへ着くまでは、なんとか、兄と父のあとから付いていった。

しかし、ハイラインへ入ったとたん、調子が崩れた。

走れなくなった道生をあとに残して、父と兄はすいすいと軽い足取りで走り去っていった。

「突き当たりまで行ったら、引き返してくるからさ、おまえはマイペースで歩いてこい」と、兄。

「一本道だからな、じゃあ、あとで会おう」と、父。

幸いなことに、早朝であるせいか、行き交う人は少ない。

それでも、すれ違う人たち、うしろから来た人たちは、ちらりと道生に目をやると、いぶかしそうな顔をして去っていく。

どうしよう、困った、このままじゃあ、だめだ。

なんとかしないと。

ああ、苦しい、痛い、吐きそうだ。

ごろごろ、ごろごろ、道生の腹の中で、雷が暴れ始めた。

額には脂汗が滲んでいる。

ごろごろ、ごろごろ、ごろごろ。そこにときどき、きりり、きりりと、差し込んでくるような鋭い痛みが加わる。この雷腹をなんとかしなくては。

腹痛と吐き気の原因は、わかり過ぎるほど、わかっている。

食べ過ぎだ。

きのう、チェルシーマーケットで、激辛の麺料理を食べたあと、宿泊先のイェールクラブに戻ってきてから、三人で、ディナーをたらふく食べた。白身魚の上に野菜のソテーがどろりとかかっている、かなり油っこい料理だった。おまけに、今朝のブレックファストと来たら、バターとクリームがたっぷり入った卵料理に、アボカドトーストに、油でてらてら光っているポテト料理。

ああ、思い出すのもおぞましい。

それでも、父と兄はぺろりと平らげて、今朝も元気いっぱい。

なんでぼくだけがこんな状態になってしまったのか。

ああ、だめだ、だめだ。このままじゃあ、だめだ。

トイレ、トイレ、トイレはどこ？

苦しい、痛い、気持ち悪い。

トイレに行きたい！

吐きそうだ。上からも下からも。げげげ。困った、困ったことになった。

見回しても、レストルームらしき施設は見当たらない。

腹を抱えこんで、前傾姿勢で、よろよろと前に進む。

噴水が見えてきた。よし、あそこで吐こう。あそこなら、なんとかなりそうだ。水が流してくれるだろう。よし、あそこまで、なんとかがんばれ！

もう少しだ。ああ、だめだ。人がいる。

女の子が立っている。いかにもニューヨーカーっぽい感じの子だ。

そうだ、あの子に尋ねよう。あの子なら知っているだろう。トイレの場所を。

道生は、喉から声をしぼり出した。

「すみません、ひとつ、ぼくはあなたに質問をしてもいいですか」

エレナ――稲妻

「すみません、ひとつ、ぼくはあなたに質問をしてもいいですか」

文法的には正しいけれど、どこか、ぎこちない英語だ。

ふいに背後から声がかかって、エレナの疑問文――「どうして、彫刻の目から涙が出ているの」は、どこかへ飛んでいった。

「イエス、オフコース」

答えながら振り返ると、そこには、自分と同じ中学生くらいに見える男の子が立っていた。

かわいいな、と、まずそう思った。

アメリカ人ではないのかもしれない。外国からの観光客だろうか。日本か、中国か、韓国から。不謹慎かもしれないけれど、アジア系の男の子っていうのは、年よりも幼く見える。もしかしたら、小学生なのかもしれないな。

くるくる回っているような、つぶらな焦げ茶色の瞳。濃い眉毛。長いまつ毛。幼かったころ、眠る前に、母が読んで聞かせてくれた日本語の絵本に出てくる男の子みたいだと思った。

ちょっとシャイな感じの笑顔もいい。

ランニングシャツに短パン。すらりと伸びた足。

きみは、日本人？

もしかしたら、わたしの母と同じ国から来た人？

尋ねてみようかなと思ったけれど、初対面の見知らぬ人に、いきなりそんなことを尋ねてはいけない。それはアメリカの常識だ。

——質問って、それはどんなことですか。

そう言おうとしたとき、男の子は突然、その場にしゃがみこんでしまった。立っていることができなくなって、ふにゃふにゃと崩れてしまった、という感じだった。

「アーユーオーケイ?」

びっくりして、そう問いかけたけれど、答えは返ってこない。

男の子はうずくまったまま「はぁはぁ」と、苦しそうな息をしている。

「きみ、だいじょぶですか」

思わず日本語で、問いかけてみた。拙い日本語だ。日本人なのかどうか、根拠があったわけでもないのに、とっさに日本語が口から出てしまった。

すると、男の子もびっくりしたのか、うずくまったまま顔だけを上げて、エレナの方を見やった。

目と目が合った、その瞬間、ビルとビルの谷間から強い陽の光が射しこんできた。つかのま、あたりは黄金色の光に包まれた。まぶしい光のせいで、一瞬、互いの顔が見えなくなった。

エレナはジャケットのポケットから、サングラスを出して掛けた。

男の子はまぶたをぎゅっと閉じている。

なぜか、ベスの言葉がよみがえってくる。

「キャンパスで、すれ違ったの。私が落としたスケッチブックを、たまたま通りかかった彼女が拾ってくれた。それだけよ。なのに、目と目が合った瞬間、ピカッと稲妻が光って、すれ違いが出会いに変わったの。とっても不思議だった。前世からの知り合いみたいだった。カチッと、鍵穴に鍵がはまった音がした」——。


ベスが言ったことは、正しかった。

出会いというのは、稲妻みたいなものかもしれない。

それは、空から降ってきて、体に当たるのだ。

「あなたは今、何か、お困りですか」

今度は英語で、優しく、そう問いかけてみた。

男の子は苦しそうに顔を歪めている。苦しそうな英語が返ってくる。

「あの、ぼくは今、トラブルに困っています」

「え？」

トラブルに困る、じゃなくて、トラブルに陥るって、言わなくちゃ。

トラブルって、何。

こんなまっすぐな道で、迷うはずもないし、何か落とし物でもしたのかな。

これって、すれ違い？　それとも出会い？

そんなことを思いながら、思いを隠したまま悠然と、エレナは美しい英語で話しかける。テキサス人はつつしみ深く、思いやりも深い。

「もしもわたしにできることがあれば、わたしはあなたを助けることができます」

そう言って、男の子から返ってくる答えを、エレナは待った。

エピソード4

エルパソの光、ウッドストックの風

道生（みちお）──胸の中のひとつ星

ヒューストンで乗り換えた小型飛行機がエルパソ国際空港に到着して、兄・太郎と共に、空港ビルから外に出た瞬間「わ、でかい」と、道生は声を上げた。

テキサス州は、なんでもでっかい。建物も、車も、道路も、すべてがでっかい。でっかいことはいいことだ！

それが州のモットーであることは、ガイドブックを読んで頭に入れてあった。

しかし、こうして実際に目にしてみると、想像をはるかに超えたでっかさだ。

まず、空がでかい。

空そのものは、テキサス州であろうと、ニューヨーク州であろうと、大きいものなのだろうが、それでもエルパソの空は「これが宇宙ってものだぜ」と言わんばかりに広く、高く、どこまでも遠い。

道生の目には、そのように映っている。

あたりを行き交う人たちの腹もでかい。尻もでかい。腹が出ている人。尻が突き出している人。子どももでかい。年寄りもでかい。中には、腕が太ももくらい太くて、太ももがまるで二個の酒樽みたいな人もいる。相撲取りの州か、ここは。

飛行機が少し早めに到着したせいか、迎えに来てくれることになっている、兄のガールフレンドの車は見当たらない。

兄はスマートフォンを操作して、彼女と連絡を取り合っている。

空は快晴。気温はニューヨークよりもぐんと高い。

冬から一気に初夏になったようだ。

道生は、着ていたジャンパーを脱いで、鞄の中に無理やり押しこむ。手袋とマフラーは、飛行機の中で、鞄のサイドポケットに押しこんであった。

陽射しが強い。でっかい太陽から、まき散らされた光の粒がそこらじゅうで、きらきら、きらきら輝いている。まぶしい。

シャツの胸ポケットから、サングラスを取り出して掛けようとしたとき、道生の目に飛びこんできたものがあった。

あっ、見つけた。

ローンスターだ！

でっかい駐車場の近くに立っている、でっかいポールの上の方で、でっかい州の旗「ひとつ星」が風に吹かれて、ゆらゆら、ゆらゆら翻っている。

青と白と赤。色の組み合わせは星条旗と同じだが、青地に白抜きの星は、ひとつ。

学校で習ったことを復習するようにして、道生は確認する。

青は忠誠心、白は純粋さ、赤は勇気の象徴だったな。

そして、ひとつ星とは、州と神様と一致団結の象徴。

五、六分ほど待っただろうか。
どこからともなく、一台の赤い車が兄弟のそばに、すーっとすり寄るようにして近づいてきて、ぴたりと真横に止まった。いかにも運転に慣れている人の停め方だ。

道生は目を見張った。

なんなんだ、この車は。これまたどでかい横綱級だ。

うしろに荷台の付いたピックアップ・トラック。色は赤。ウッドストックでも、町の郊外では見かけることがあるが、それよりもひとまわり大きい。

どうやら運転席に乗っているのが兄のガールフレンドらしい。

ふだんは、兄と同じ大学の、違う学部に通っていて、スプリングブレイクのあいだ、実家のあるエルパソに戻ってきているという。兄は追いかけて、ここまで来たってわけか。

ははは、青春してますね〜。

兄は右手を大きく上げて、彼女に合図をしている。

ガールフレンドという英単語の意味は、日本語で言うところの「女友だち」ではない。英語では「恋人」を意味する。道生だって、それくらいのことは心得ている。

後部座席に乗りこむと、彼女の方から先に声をかけてくれた。

「こんにちは。初めまして、私の名前はアイリス。あなた、ミッチでしょ。タロウから話はいろいろ聞いてます。以後よろしくね、ミッチ。楽しい旅をクリエイトしようね」

旅をクリエイトする。

なんて、クリエイティブな言い方なんだろう。

「あ、はい、こちらこそ」

差し出された手を軽く握り返して、道生は彼女にあいさつをした。

なんとはなしに、ほっとしている。

アイリスは、でっかくない。ほっそりしていて、小柄。いわゆるスレンダーな人だ。草原を駆け抜けていく黒豹を思わせる。

事前に、兄に見せてもらっていた写真から、ヒューストン出身のスーパースター、ビヨンセみたいな、派手で、大柄で、強そうな女性を想像していたのだが、ぜんぜん違うじゃないか。写真って、嘘をつくものなんだなぁ。

ふと思った。さっきから「なんでもでっかい」と、思い続けているが、それは間違っているのかもしれないな。もちろん、でっかいものもあるのだろうが、そうじゃないものだって、あるに違いない。テキサスは、なんでも大きい。十把一絡げにしてそう考えることこそがステレオタイプにつながり、偏見を生み出すのかもしれない。

そういう偏見は、正しくない。

ならば、正しさって、なんだろう?

おそらく、これは正しい、これは正しくないって決め付けることは、正しくないんじゃないか。

あるいは、正しい、と、正しくない、は、紙一重ってことじゃないのか。

妙に理屈っぽいことを考えている道生とは裏腹に、兄とアイリスは楽しそうに、再会を喜び合っている。早口で、まくし立てるようにして、しゃべっている。まるで機関銃の撃ち合いみたいだ。兄、こんなに英会話が流暢なのか、と、道生はちょっと感動している。

「はいこれ。約束の品」

兄は得意げに、マグカップの入っている箱を彼女に渡している。

ふたりとも、とてもうれしそうだ。

アイリスはときどき手を伸ばして、兄の腕に触れたり、ほっぺたにキスしたりしている。兄、すげー、やるじゃん、と、道生は感心する。何がどう「すげー」のか、自分でもよくわからないままに。

道生は、ふたりの会話をＢＧＭにして、窓の外を流れていく景色を眺めながら「ぼくにもいつか、ガールフレンドができるのかなぁ」などと思っている。

できたらいいなぁ、いつか。

「いつか」は「きっと」に変わり「できたらいいなぁ」は「できる」に変わり始めている。たとえば、あんな子がいいな。「あんな子」が「あの子」に変わるまでに、時間はかからなかった。すてきなあの子、すてきだったあの子。

ハイラインで出会った「あの子」は今、道生の胸の中で揺れている、ひとつ星なのだった。

エレナ――あたたかい手

ミッドタウンにあるペンシルベニア駅、通称、ペンステーションを出発した電車は、ハドソン川に沿って、北へ、北へと走っている。

「一時間と四十分ほどで、着くからね」

隣に座っているベスが教えてくれた。

「リラックスして、旅をエンジョイしてね、エレナ」

どんなときでも、アメリカ人はエンジョイを忘れない。これはテキサスでもニューヨークでも同じだなと、エレナは微笑む。

「ありがとう、そうします」

エレナは座席のシートを少し傾けて、窓の外をゆったりと流れていくハドソン川を眺める。

川の向こう岸は、鬱蒼とした森。

二十分ほどが過ぎた時点で、大都会の面影はどこにもなくなって、今は延々と続く、川と森の織りなす早春の景色が目にあざやかだ。心が洗われていく。

ニューヨーク、と言うと、自由の女神や、五番街や、セントラルパークや、エンパイヤーステイト・ビルディングなどを思い浮かべる人も多いと思うけれど、それはニューヨーク州に数ある街のひとつ、ニューヨークシティの景色に過ぎない。

電車の揺れに身を任せて、今回、この旅をすると決めてから調べたことを、エレナはひとつひとつ思い出す。

ニューヨーク州の北西部は、カナダとの国境にもなっているナイアガラの滝と、五大湖にも面している。州の北東部には、アメリカで最大の自然保護地区であるアディロンダック山地が広がっている。このような、ニューヨーク州の北部に広がる地域全体を指して、人々はアップステイト・ニューヨークと呼んでいる。

エレナたちが向かっているウッドストックも、アップステイト・ニューヨークに位置している。近くには、キャッツキル山地と呼ばれている山々が連なっていて、春から秋にかけては登山客で、冬はスキー客で賑わう。エレナも滞在中、一度は登山をしたいと思っている。

キャッツキルという言葉は、入植者だったオランダ人の母国語が語源で、意味は「猫の谷間」だという。その昔、谷川で水を飲んでいる山猫やボブキャットの姿がよく見かけられたからだろうか。

今は、かもめ、カナダグース、鴨など、さまざまな水鳥たちの姿が見えている。

水鳥に見とれていると、横からベスが教えてくれる。

「うちの庭の池にはね、青鷺がやってくる。それから、黒熊や鹿も出てくるわよ。りすと、うさぎと、きつねもね」

「わあ、まるで童話の世界！　楽しみです。全員に会えるかなぁ」

エレナは頬をゆるませる。

テキサスではあまり見かけない森の動物たち。テキサスで見かけるのはコヨーテと、砂漠地帯を猛スピードで走るのが得意な鳥、ロードランナー。

「運が良かったら、白頭鷲にもね！」と、ベス。

州の旗には、ハドソン川と、山々と、白頭鷲と、ふたりの女性の姿が描かれている。確か、右の女性は正義の象徴で、左の女性は自由の象徴だったかな。

アメリカ人はつくづく「正義と自由が好きなんだなぁ」と、エレナはつい、苦笑いをしてしまう。わたしだって、アメリカ人なのに。

正義と自由。教師はこれに加えて「平等」も強調していたっけ。

正義ってなんだろう。自由ってなんだろう。

正義とは、正しいこと。正しくないことは、不正義。でも、その境目はどこにあるのだろう。

自由とは、不自由ではないこと。でも、その境目はどこにあるのだろう。

正義と自由と平等。すべては境目が曖昧な気がする。

ああ、眠くなってきた――。


窓ガラスを通して射しこんでくる、柔らかい陽の光がぽかぽかと気持ち良くて、エレナはいつのまにか、うたた寝をしてしまった。

ああ、これって、誰の手だろう。

誰かと手をつないで、散歩している夢を見ている。

これって、どこの道なんだろう。

道はまっすぐに、どこまでも続いていて、道の先には、空しかない。

その昔、母とよく出かけたロスト・ドッグ・トレイルという名の公園だろうか。あまりにも広いから、犬も迷ってしまって、そして、飼い主は犬を見つけることすらできなくなるから、ロスト・ドッグ。

ああ、でも、あの公園とは、生えている植物がぜんぜん違う。

ここはどこ?

あなたは誰(だれ)?

このあたたかい手は、母の手でもなく、父の手でもなく、祖母の手でもない。

あたたかくて、がっしりしている。

夢の中に、飛行機の中で読んだムラカミの作品の一節が浮(う)かび上がってくる。正確に言うと、一節の続きが。


あまりにも遠すぎて、そこに何があるのかまではっきりと見届けることはできなかった。でも僕はそれがそこにあるのだということを感じた。僕はいつかその場所に行くことになるだろう。その事実は僕の息を詰まらせ、胸を震わせた。


その場所って、どこなんだろう。

わたしもいつか、その場所へ行くことになるのだろうか。

こうやって、誰かの手を握(にぎ)りしめて。

でも、どこへ?

僕は家に戻ってから、自分の部屋の机の前に座って、島本さんに握られたその手を長いあいだじっと見ていた。僕は島本さんが僕の手を取ってくれたことをとても嬉しく思った。その優しい感触はそのあと何日にもわたって僕の心を温めてくれた。でもそれと同時に僕は混乱し、惑い、切なくなった。その温かみをいったいどのように扱えばいいのか、どこに持っていけばいいのか、それが僕にはわからなかったのだ。

夢はそこで唐突に終わった。

「エレナ、あと五分で到着よ。降りる準備をして」

ベスの声が聞こえて、エレナは目覚めた。

あわてて椅子の角度を元に戻したとき、夢の中で手を握っていた人の顔が浮かんできた。ミッチだ。ハイラインで出会った男の子。

焦げ茶色の瞳。濃い眉毛。長いまつ毛。

幼かったころ、寝る前に、母がお話を朗読してくれた、日本語の絵本に出てくる少年みたいだった。ちょっとシャイな感じの笑顔。

ミッチ、こと、ミチオ。

ランニングシャツに短パン。すらりと伸びた手足。

彼は体調をくずして、ふらふらになっていて、助けを求めてきた。

「だいじょぶですか」

彼の手を取り、握ってあげたのは、わたしだった。お手洗いの入り口まで、いっしょに行ってあげた。

「もうだいじょうぶです。ありがとうございました」

別れ際の短い会話を思い出しながら、エレナは唇を噛む。

ミッチは、日本からやってきた人だったのだろうか。それとも、マンハッタンに住んでいる日系アメリカ人だったのだろうか。

これから、お兄さんと「旅行します」と言っていた。どこへ行く予定だったのだろう。日本へ？　外国へ？

そんなことも、あんなことも、尋ねておけば良かった。

せめて、わたしの電話番号を伝えておけば良かった。でも、できなかった。なんだか、図々しいような気がして。

勇気がなかった。まったく、わたしらしくなかった。

かねてから、エレナは思ってきた。もしも自分に「付き合いたい」と思えるような人が現れたら、誘われるのを待っているのではなくて、自分の方から誘うのだ、と。

でも、できなかった。

風と風のように出会って、風のように、別れてしまった。

風は、同じ場所にとどまってはいないし、元の場所へ戻ってくることもできない。

風と風は、すれ違って別れてしまえば、もう二度と、同じ風とは会えない。

わかっていたのに、わかっていたはずなのに、どうすることもできなかった。

なぜなんだろう。なぜ、できなかったのか。

「答えは風の中にある」と歌ったのは、ボブ・ディランだった。

ミュージシャンでありながら、ノーベル文学賞をもらったディラン。受賞式には出席しなかった。アメリカでは賛否両論の声が上がった。式に欠席するとは、いかがなものか。いや、それこそがディランがディランであるゆえんじゃないか。

答えはきっと、風の中にあるのだろう。

道生（みちお）――保守と自由のはざまで

アイリスの運転する車は、みるみるうちに空港から遠ざかり、でっかい高速道路から、別のでっかい高速道路へと、巧（たく）みに乗り継（つ）いでいきながら、エルパソの街を目指して走っている。

車の中で道生は、きのうの朝、マンハッタンのハイラインで出会った女の子のことを思い出している。正確に言うと、さっきからずっと、そのことばかりを考えている。

父と兄に置いてきぼりを食らって、ハイラインをひとりで歩いているときだった。

腹の具合がおかしくなって、頭が痺（しび）れ、足がふらついて、まともに歩けなくなっていた道生を、彼女（かのじょ）は親切に介抱（かいほう）してくれ、トイレまで連れていってくれて、終わるまで、外で待っていてくれた。

「気分は良くなった？　ちゃんと歩ける？」

「だいじょうぶです。ほんとにもう、だいじょうぶ。歩けるようになりました。本当にありがとうございました」

ああ、すてきな女の子だったなぁ。

日本人のようにも見えたが、短い会話を通して、彼女はアメリカ人である、ということはわかった。でも、ニューヨークの人じゃないみたいだった。

「母のお友だちといっしょに、旅行中なんです」

そう言っていた。

「あなたは」

「ぼくですか、ええっと、ぼくも兄といっしょに、これから小旅行へ」

名前はエレナという。

別れる前に、名前だけは教え合った。

彼女の方から、尋ねてくれたのだ。

「そうなの、じゃあ、気を付けてね。わたしの名前はエレナです。あなたは」

「ぼくの名前はミチオ、通称ミッチです」

「すてきな名前。さようならミッチ。またどこかで会いましょう」

彼女は最後に確かに言った。「シー・ユー・アゲイン」と。

それは社交辞令というか、単なる別れのあいさつの言葉、だったのかもしれない。それでも、うれしかった。また会いましょうと言われて。

しかし、なんで、電話番号くらい尋ねておかなかったのか。

大失態を演じたぼくの、あれは大失敗だった、と、道生はあれからずっと、後悔に苛まれている。あのときは恥ずかしさでいっぱいで、電話番号やメールアドレスを尋ねる心の余裕などなかった。親切にしてくれた人に、せめて、自分の番号を教えるくらいのことはできただろうに。

思い出せば出すほど、胸の中で、ひとつ星が、彼女の存在が大きく膨らんでいく。

彼女の笑顔がきらめいている。

もう二度と会えない人なのに、だからこそ、なのか。

こういうのを、初恋って、言うのだろうか。

初恋？　まさか。

喉がからからにかわいている。


「ミッチ、きみ、喉かわいてない？」

アイリスがうしろを振り返って、尋ねてくれる。なんで、わかったんだろう。

「あ、かわいてます」

答えると、彼女はにっこり微笑んだ。

「そこに、アイスボックスがあるでしょ。中に飲み物がいろいろ入っているから、どれでも好きなのを飲んで」

あけると、ジュースや水や炭酸飲料水のボトルがごろごろ入っている。

そのどれもがやっぱりでかい。

ぼくはオレンジジュースを、兄はアイスコーヒーを、アイリスは水を飲みながら、三人で会話をする。

と言っても、しゃべっているのはほとんど兄とアイリスだ。

「テキサス州はね、物価も不動産価格も安いし、所得税はゼロでしょ。優秀(ゆうしゅう)な大学が多いから全米から優秀な人たちが集まってくる。教育水準も高い。こんないい州はほかにはない」

へえ、所得税はゼロなのか。そんな州もあるんだな。

だから、人の心まででっかくなるのか、と、道生は思っている。だから、太陽だけじゃなくて、空気も風もきらきら輝(かがや)いているのか。

これまで、道生は誤解していた。

テキサス州は「共和党の州で、保守的な州だ」と思いこんでいた節がある。保守と言えば、頑固(がんこ)で、変化を受け入れず、融通(ゆうずう)が利(き)かなくて、不自由、というイメージがある。父も似たようなことを言っていたし、学校の先生もそう言っていたという記憶がある。「対して、わがニューヨーク州はリベラル。いわゆる自由主義を貫く、民主党の州なのである」と。

でも、共和党＝保守、民主党＝自由、なんて、決め付けていいのだろうか。

自由が正しくて、保守が正しくないなんて、そんなこと、誰にも言い切れないはずだ。そもそも、何が正しいのか、正しくないのか、なんて、神様にだって、わからないんじゃないか。

さっきから、アイリスと兄は、つい最近、テキサス州内の学校で起こった銃乱射事件について、熱く話し合っている。

「……テキサス州ではなぜもっと、きびしい銃の規制ができないんだろう」

「ああ、タロウ、それは、とても難しい問題なんだよ。銃を規制するってことは、政府が個人から、ある種の自由を奪うってことになるでしょう。テキサス人はね、そういう強制を心の底から嫌っている。大きな政府主義、これは民主党の考え方。つまり、政府が国民を管理し、コントロールしようとする。共和党は、あくまでも個人の自由を大切にする、小さな政府主義。国家よりも、個々の主義主張、個々のファミリーを重要視している。それが共和党の考え方」

あれれ？　それって、先生が言っていたこととは反対じゃないか。

民主党が自由で、共和党が保守だったのでは？

道生も意見を言いたいが、悲しいかな、英語力が追い付いてきてくれない。

「たとえば、銃の所持を禁止してしまったら、防げる犯罪が防げなくなることだって、あるでしょ。レイプされそうになっているとき、銃を見せるだけでも、効果があるかもしれない」

アイリスがそう言うと、兄はすかさず、意見を述べる。

「それに、銃の所持を禁止したとしても、刃物による犯罪が起こるだけかもしれないな。日本では、銃の禁止には成功しているかもしれないけれど、刃物による凶悪犯罪は、防止できていないしね。じゃあ、刃物による犯罪を防ぐために、刃物の所持を禁止すればいいのかってことだよね。結局、銃の所持を禁止するだけでは、問題は解決しないってことかも」

「乱射事件の犯人に立ち向かうために、教師にも銃を持たせろって考える人も多い。でも私は、目には目を、では何も解決しないって、思ってる。ねえ、ミッチはどう思う」

いきなり話を振られて、道生はどぎまぎしてしまう。

同時に、自分を一人前あつかいしてくれているアイリスの態度がうれしい。

何か言わなくちゃ、と、思っている。

こういうとき、自分の意見をばしっと述べるのがアメリカにおける会話の基本というか、礼儀というか。

何も言わないってことは、意見がないってことになる。意見が「ない」なんて、アメリカでは最低のことなのだ。極端な言い方をすれば、アメリカでは意見がなくても、意見を言わなくてはならない。学校でもそう教わった。ひとまず「I think」と先に口にしてしまって、それから意見を考えればいい、なんて。

「えーと、銃を規制することには、ぼくは賛成です。だけど、戦争と軍隊を肯定している国で、銃だけを否定するのは、難しいような気がします。たとえば、死刑を禁止しようとしたら、戦争もやめないといけないのではないかって」

話が飛んでしまった。

「へええ、なになに、おまえ、けっこう、まじめに考えてるんだな。能天気で、ばかなことばかり考えてるって思ってたけど、少年もいつのまにか青年になったってことか」

兄に褒められた。悪い気はしない。

しないけれど、道生がそのとき、心の中で思っていたことは、本当は、こんなことだった。

ああ、ぼくもいつか、自分のガールフレンドと、こんな会話をしたり、真剣な議論をしたりしたい。

あの子と、話してみたかった。

エレナさんと、銃規制について、話してみたかった。

エレナさんと、何が自由で、何が保守なのか、話してみたかった。

戦争も、環境破壊も正しくない。正しくないのに、終わらないのはなぜなのか。

正しさってなんだ？　って、熱く議論を戦わせてみたい。

好きな女の子と「正しさについて話し合う」って、ホットだ！

こんなことを思うぼくって、やっぱりまだ、能天気な中学生なのかな。

エレナ――森の香り

ラインクリフ・キングストン駅から、ベスの運転する車に乗って、ウッドストックへ向かう。

駅から村までは、三十分ほどだという。

ウッドストックが近づいてくるにつれて、それまでは遠景だった山々がぐんぐん迫ってくる。

幹線道路28号線をしばらく走ったあと、信号のある交差点で、ベスはハンドルを右に切った。

前方に見える山の名は、オーヴァールック・マウンテン。

ベスが教えてくれる。

「この先に、ウッドストックのアートコロニー、芸術村があるの。私の家へは、村のメインストリートを通り抜けていきます。ゆっくり走るわね。まずは車で観光して」

芸術村。その言葉の通り、メインストリートに沿って並ぶ店々は、いかにもアーティストのお店、といった雰囲気を醸し出している。

世界でいちばん小さくて、世界でいちばん有名な村。

インターネットで目にした観光案内には、そんな謳い文句があったっけ。

「ウッドストックではね、看板のサイズに厳しい規制があるの。ビルを建てることも禁止されている。町並みと景観を守ることに、心を砕いているのね」

「へえっ、そうなんですか。だから、小さくてかわいいおうちばかりで、そのおうちがお店なんですね。すてきです。とってもすてきな考え方」

何もかもがちんまりとしている。

テキサス州では絶対に見られないような風景だ。

対照的だと思う。まるで、巨人の町と小人の村みたい。

図書館も、警察署も、消防署も、白い一軒家。

それにしても、いろんなお店がある。ユニークだ。ろうそく屋、帽子屋、陶芸店、花屋、チョコレート屋、パン屋、貸し自転車屋、ベジタリアンレストラン、コーヒーショップ、アンティークショップ、手作りバッグのお店、ソックスの専門店まである。どの店も一軒家の一階で営業している。アーティストたちは、二階に住んでいるのだろうか。

歩いて店巡りができるのもいいな、と、エレナは思った。エルパソでは、車じゃないと、どんなお店へも行けない。

「ここでは、マクドナルドも、フライドチキンも禁止。ファストフードはお断り」

「へえ、すごいな。テキサスでそんなことをやったら、反対デモが起こりそう」

ベスの笑い声が響く。

「人々の関心は、森林保護、動物保護、菜食主義、オーガニックの農産物、そして、反戦ね。非暴力。年齢差別、男女差別、障害のある人に対する差別、ＬＧＢＴＱＩＡに対する差別、人種差別、宗教差別、ありとあらゆる差別と闘う。悪と闘う強い女が多い。まあ、私もそのひとりだけど」

「ますます、すてきです」

「あしたか、あさって、村を散歩することにして、きょうはひとまず、まっすぐに家に行くわね。あなたも少し疲れたでしょう」

「いいえ、まったく疲れてません。興奮しています」

「そう、それは良かった！　私も興奮中よ」

ベスは運転席の窓を少しだけ下ろして、外の空気を入れた。

釣られて、エレナも助手席の窓をあける。

さぁっと車内に入ってきた風がエレナの頬を撫でて、さぁっと外へ出ていく。

これがウッドストックの風、と、エレナは思った。

香りが違う。そう感じた。

ウッドストックの風は、森の香りがする。そしてこれは愛と平和の香り。


ベスの家は、村外れの山の中腹に、森に埋もれるようにして佇んでいた。

家に至るまでの長い車寄せの道を走っているときには、まさに、森の中へ分け入っていくようで、エレナはわくわくした。

「さあ、着いたわ。ようこそ、森の我が家へ」

二階建ての木造りの家で、一階にはキッチン、ダイニングルーム、暖炉付きのリビングルームがあって、二階にはロフトと、ベスの寝室がある。テキサス州の基準で言うと「とっても小さなおうち」ということになる。

「あなたは私の寝室を使って。私はロフトで寝るから」

ロフトは、ベスの仕事部屋とアトリエを兼ねているようだ。

寝室には、バルコニーが付いている。

エレナは荷物を下ろすと、さっそくバルコニーに出てみた。

目の前は森だ。いや、前もうしろも、まわりも全部、森。

森の空気を胸いっぱいに吸いこんで、吐き出す。樹木の枝はまだ枯れたままで、葉っぱが出ているわけではないのに、森の香りがする。

ああ、気持ちいい。両手を空に向かって広げて、もう一度、深呼吸。

よく見ると、枯れ枝だと思っていた、枝という枝に、赤や黄色や黄緑の新芽が吹いている。

庭の草はところどころが青々としていて、そこここに、小さな野の花がちらほら顔を見せている。今年は例年よりも春の訪れが早かったという。

森の香りは木の香り、花の香り、草の香り、土の香り。

ママ、この香り、わかる？

樹木の中で、小鳥たちがさえずっている。

まるで、森の妖精たちの歌のようだ。

ママ、聞こえる？

エレナは樹木の上に広がる空に向かって、小さくつぶやいた。

ママ、着いたよ。ここがウッドストックの森だよ。


スーパーマーケットまで買い物に行ってくる、と言って、ベスが再び出かけたので、エレナはひとりになった。

出かける前にベスが作ってくれた、ゆで卵とトマトのサンドイッチを食べたあと、祖母と父に電話をかけた。

テキサスとニューヨークの時差は一時間。ニューヨークが先に進んでいる。

今は午後三時過ぎだから、エルパソは二時過ぎ。ならば、ランチタイムの忙しさにも一段落ついているだろうと思い、店に電話をかけると、父が出た。祖母は厨房にいて、今、手が離せないという。

「ダッド、無事、ウッドストックのベスの家に着いたよ。わたしはとっても元気だから、安心してね」

「そうか、それは良かった。何よりだ。そっちの天候はどうだ」

「ちょっと肌寒いけど、空はよく晴れてて、気持ちいいよ。マンハッタンは大都会だったけど、ここはすっごい田舎。何もかもが小さくてかわいいの。ママにも見せてあげたかった。おもちゃの町みたいよ。ダッド、おもちゃで遊んでみる?」

父は愉快そうに笑ったあと、問いかけてきた。

「メキシコ料理店はあるか。マンハッタンにも、メキシコ人労働者がたくさん住んでるって聞くけど、実際はどうだった」

「わりと多かった。でも、ウッドストックではまだ見かけてないね。エルパソほど多くないいんじゃないかな」

「いい出会いはあったか」

「いい出会いって、ベスとのこと?」

「まあ、それもあるけど」

話の途中で、エレナは思い出した。

「いい出会いかどうか、わかんないけど、マンハッタンで日本人っぽい子に出会ったよ」

「男か」

「男だったら、どうする？」

「連れてかえってこい。殴ってやる」

父はわざと怖そうな声を出した。

「でも、電話番号もメールアドレスも、訊けなかった」

「なんだ、情けない。おまえらしくないね。あ、エレナ、お客さんが来た。じゃあ、元気で楽しんでくれ。ベスによろしくな。また電話してくれ。おばあちゃんにもな」

父への電話を終えてから、エレナは荷物の整理をした。

鞄の中から取り出したものを、寝室やバスルームのしかるべき場所に置いていく。

最後に、小さなフレーム入りの母の写真と、形見のブルーの単行本を、ベッドサイドに並べて置く。まるで何かの儀式みたいに。

それから、ベッドの端に腰かけて、ぱっとあけたページを読む。

そこには、母が鉛筆で囲んだ、こんな文章があった。

その文章があとで姿形を変えて、自分の胸をぐさりと突き刺すことになるなんて、そのときのエレナには想像もつかないことだった。

「でもこの町を離れたらきっとあなたは私のことなんか忘れてしまうわ。そして別の女の子をみつけるのよ」と彼女は言った。これも彼女が僕に対して何十回も言ったことだった。

そのたびに僕はそんなことがあるわけはないと彼女に言って聞かせた。僕は君のことが好きだし、君のことをそんなに簡単に忘れたりはしないと。でも本当のことを言えば、僕にはそれほど確信が持てなかった。場所が変っただけで、時間や感情の流れががらりと変ってしまうことだってあるのだ。——

道生——まいごの犬

「タロウ、ミッチ、着いたよ。ここだよ、男たちのねぐら」

アイリスは、モーテルの駐車場に車を停めると、そう言った。

目の前には、横にびよよーんと長く伸びた、平屋の建物がある。

これがモーテルか、と、道生はただただ目を見張っている。

土地が広いから、建物の階を上に重ねていく必要がない。したがって、こんなにも横に長く伸びていくのだ。おもしろい。

同じデザインのドアがずらりと並んでいる。その前には等間隔で、駐車スペースの白い線が引かれている。

兄と道生は、107号室にチェックインした。アイリスは隣に。

三人で部屋に集まって、簡単な打ち合わせをする。

「まずは、ランチを食べに行こうか。おなか、空いてる?」と、アイリス。

「空いてる」と、兄。

「空っぽで、死にそう」と、ぼく。

「了解。食べ盛りの男たちよ、いざレストランへ」と、アイリス。

今では、三人の会話の息は、ぴたりと合うようになっている。

荷物を部屋に置いて、再び車に乗りこむと、アイリスはメサ・ストリートと呼ばれている「食堂通り」みたいなところへ連れていってくれた。

意味としては、まあ、食堂通りで正解なのだろうが、その実態はと言えば、だだっ広いまっすぐな通りに、いろんなレストランが並んでいる、しかし、各レストランへは車でしか行けない、つまり、店と店のあいだがあまりにも離れているので、歩いては移動できない、でっか過ぎるストリート、というわけだ。

何が食べたい？　と尋ねられて、兄は「テキサス名物」と答え、道生は「チャイニーズと魚料理と揚げ物以外」と答えた。マンハッタンで腹を壊したことに懲りている。

「わかった。じゃあ、あそこだ」

五分後、アイリスが車を乗り入れたのは、パンケーキ専門店の駐車場だった。

パンケーキと言えば、ニューヨークでは朝食として食べるのが普通だが、テキサスでは朝から晩まで、いつでもやっている、という。パンケーキのほかに、各種卵料理、ワッフル、サンドイッチ、スープやサラダもあるので、ランチタイムも、ディナータイムも賑わっているらしい。昼はパンケーキをおやつ代わりに、夜は夜食として食べる人もいるのかな、と、道生は推察した。当たっていたようだ。

道生とアイリスは、特大のパンケーキと野菜サラダをたらふく食べた。

パンケーキにかけるシロップの瓶もニューヨークの二倍はあった。サラダは家畜の餌かと思えるほど大量。兄が食べたオムレットも二倍なら、オムレットにかけるケチャップの瓶も二倍。

座席も二倍、テーブルも二倍、もちろん店員の体も二倍。

もう、道生はいちいち驚かない。なんとはなしに二倍に慣れてきた。

何もかも大きくて気持ちいい、と、感じるようになっている。

「いっぱい食べたら、歩いてカロリー消費！」

アイリスはそう言って、今度は近くの公園へ連れていってくれる。

近くと言っても、高速道路をぶっ飛ばしていくわけだが。

着いた公園は、二倍どころの騒ぎではなかった。

軽〜く二百倍は、あるんじゃないかな。日本の公園のイメージに比べると、ここは宇宙パークか、と言いたくなるほど広い。視界を遮るものが何もない。

すべての道は大空に通ずる。

「ロスト・ドッグ・トレイル」――入り口には、そんな看板と道標があった。

「ロスト・ドッグってことは、ここは迷い犬の公園？」

兄が尋ねると、アイリスは答えた。

「広過ぎて、犬もまいごになるってことじゃないかな」

「なるほどー」と、道生。

「でも、こんなによく見渡せるんだから、まいごになっても、見つかるんじゃない？」

「それがそうでもないみたいよ。仮に姿が見えたとしても、点にしか見えないし、きっと、たちまち見えなくなってしまうのよ」

確かに、それほど遠くではないところを歩いている人の姿も、まるで砂つぶのようにしか見えない。

歩き始めると、すぐに体に汗が滲んでくる。

しかし、湿度が高くないせいか、不快感はない。

光も風もパーフェクトだ、と、道生は全身でそう感じている。

いつのまにか、兄とアイリスはかなり先を歩いていて、道生はあとから付いていく格好になっている。でも、急いだりしない。こんなに広いと、急ごうなんて気持ちがまったく起こらなくなってしまう。

夢中で会話しているに違いないふたりのうしろ姿を、眺めるともなく眺めながら「パートナーがいるって、すてきなことだな」と、道生は思っている。

それほど女らしくないアイリスと、それほど男らしくない兄。

いい組み合わせだなと思う。

強いアイリスと、優しい兄。

男女の関係なんて、好き勝手で、それぞれの自由で良いと思う。

正しさってものが誰にも定義できないように、男らしさと女らしさだって、誰にも決められないはずだ。

要は、相性だろう。

兄は自分と相性がぴったりな人を見つけたのだ。

道生は広い空間で、心を遊ばせている。

心は自由だ。

心には、国境がない。

壁がない。

心はいつだって、解放されている。

風のように、光のように、自由に、メキシコへ行ったり、アメリカへ行ったり、日本へ行ったりできる。そう、その気になれば、心はどこへだって飛んでいけるし、どこへでも旅ができるのだ、自由に。

道生はさっきから、ザ・バンドの名曲『アイ・シャル・ビー・リリースト』を口ずさんでいる。作詞作曲は、ボブ・ディランだ。

タイトルの意味は「ぼくは解放されるべきなんだ」——。

宇宙の中で、まいごになった犬のような気分だ。
まいごになるってことはきっと、鎖から解放されて、自由になるってことなんだ。
だったら、ぼくは一生、まいごの犬でいたい。

エピソード5
アクシデントとシークレット

エレナ――インタビュー

「いいかい、エレナ、ちょっと想像してみて欲しい。四十万人という数がどれくらいの数なのかを。いや、四十万という数字は、あくまでも数字に過ぎない。僕が言いたいことは『四十万人の人間』がどのように見えるかってことだね」

エレナの目の前には、白髪の若い老人が座っている。

若い老人、なんて言い方はおかしいとわかっているけれど、エレナにはそうとしか思えない。

ここは、ウッドストックの町外れにある村、マウント・トレンパー。

トレンパー山のふもとにある石造りの家のリビングルームで、エレナとベスは「若い老人」と向かい合って、話を聞かせてもらっている。

「きみのまぶたの裏には今、どんな光景が浮かんでいるだろう。実際には、その光景の百倍くらいの迫力だったと言って、まあ、間違いないだろうな。何しろ、足元から、はるかかなたの地平線まで、ぎっしりと人に覆(おお)い尽(つ)くされている。しかもその『人』は全員、若者なんだ。ヒッピーと呼ばれていた若者たちだ。まことに壮観(そうかん)だったよ。アメリカの若者たちの底力を、世界中に見せつけてやることができた。現にあれがアメリカを動かす力になった。ヴェトナム戦争を終わらせることができたんだからね。そういう歴史的イベントだったんだよ、あれは」

彼(かれ)は、一九六九年八月十五日から、十八日の朝まで続いたウッドストック・ミュージック・アンド・アート・フェスティバルを企画(きかく)、主催(しゅさい)した四人のメンバーの友人だ。

彼(かれ)らもまた、当時はれっきとした若者たちだった。

四人は当初、ボブ・ディランの暮らすウッドストックに、レコーディングスタジオを作るという目的で、その資金を集めるためにコンサートを企画したという。

「多くて、一万人から二万人くらいの参加者を想定していた。ところが人気ミュージシャンから次々(つぎつぎ)に出演オーケイの返事をもらえたせいで、事前に売れたチケットの数は十八万六千枚。そうして、蓋(ふた)をあけてみたら、二十万人を超(こ)える若者たちがやってきた。さらに驚(おどろ)いたことに、噂(うわさ)が噂を呼んだのか、その数はどんどん増え続けていった。まさに、とどまるところを知らない。そこでもう、入場料はもらわないことにした。そう、あれは事実上、無料のイベントだったんだ」

当然のことながら、会場となった農場へと続く道は、混雑と混乱をきわめた。

「しかし、アクシデントというか、もめごとというか、そういうものは何も起こらなかった。若者たちは互いに食べ物を分け合い、助け合って、みんなでこのコンサートを盛り上げようとしてくれた。暴力沙汰などいっさいなし。同じ年におこなわれた、ローリング・ストーンズのコンサートでは、死者まで出たというのにね。ウッドストックでは死者どころか、二件の出産があったんだよ」

「えっ！　コンサート会場で、赤ちゃんが生まれたんですか」

　エレナの質問に、ベスが「うふふ」と声をもらした。

「そうよ、きわめて健康な赤ん坊が平和的に生まれたの。なんと言ってもあれは、愛と平和の祭典だったんだから」

　祭典のさなかに生まれた赤ん坊は、今はすでに、五十代になっているはずだ。どんな人になっているのだろう。ミュージシャンだろうか。反戦運動家になっていたりするのだろうか。集まった若者たちの合い言葉はラブ・アンド・ピースだった。

彼は腕組みをしたまま、大きくうなずいている。

「その通りだ。当時の若者たち、僕を含めてヒッピーたちが何よりも愛したのは、愛と平和、自然との共存、資本主義や既成の価値観に囚われない自由な生き方だ。やりたい放題をやる、という意味での自由ではない。人間を縛り付けている鎖からの解放、という意味での自由だ。わかるかな」

「アイ・シャル・ビー・リリースト」

エレナが曲名をつぶやくと、老人とベスはふたりで声を合わせて、サビの部分を口ずさんだ。聴きながらエレナは、ドキュメンタリー映画で観た一場面を思い浮かべている。

そこには、コンサートが終わったあと、残ったごみを拾い上げ、片づけていた若者たちの姿が映し出されていた。

若者たちの力で、社会を、世の中を、変えていく。

格差のない社会、自由主義の国家、平和な世界を創り上げていく。

言葉にするのは簡単だけれど、これらを実際のムーブメント、つまり社会運動につなげていくのは、とても難しいことだとエレナは思う。

言うのは簡単、実行するのは難しい。

ウッドストックで、若者たちがそれをやってのけた。

最初からそこまでの意図があったのかどうかは別として、愛と平和の祭典は、カウンターカルチャーと呼ばれる現象をアメリカに巻き起こした。カウンターカルチャーとは、権力者が作り上げた従来の文化や価値観を壊して、社会的な弱者による新しい文化や価値観を作っていこうとする動きである。そうして、延いてはこの動きが泥沼状態に陥っていたヴェトナム戦争を終わらせていく力となった。

すばらしいことだな、天晴れなことだな、と、エレナは改めてそう思う。

こういうことが自分を含めて今の若者たちにできるだろうか。

たとえば、環境破壊や動物虐待や地球温暖化をストップさせるような「動き」を、若者たちの力で作っていけたら、どんなにすばらしいだろう。自分もその若者たちのひとりになれたなら。

エレナの胸の内を知ってか、知らずか、老人は静かに口を開いた。

「僕はさっき言った。資本主義や既成の価値観に囚われない自由な生き方、と。自由に生きる方法は、人それぞれに異なっていていい。きみが自分を自由だと思えば自由なんだし、不自由だと思えば不自由だ。あくまでも、自由とは主観的なものだ。たとえ、階級社会の底辺で生きていても、本人が自由だと思えば自由だろ？　しかし僕はこう思うんだ。われわれはみんな、自由と不自由のあいだで生きている。完璧に自由な人なんていないし、不自由であるってことは、実はそれほど不自由ではない。僕はそう思う」

煙に巻かれて、エレナは問い返す。

「不自由であることは、不自由ではない？」

英語は至って論理的に話される言語だから、油断していたら、相手の論理に巻きこまれて、正しい意味がつかめなくなる。中学校の教師がいつもそう言っている。

「いいかい？　きみが何かを、不自由だと思えば、そこからの解放を目指すだろ？　痛いと思えば、痛みを和らげようとするように。だから、不自由であることは決して不自由ではないってことだよ。不自由もまた、人や社会を動かす原動力になるってことだ。重要なことは、自分が不自由であると自覚できるかどうか」

そうか、それが自由と不自由のあいだで生きる、ということなのか。

さっきから黙って、ふたりの会話に耳を傾けていたベスが言った。

「不自由があるからこそ自由があるってことじゃないかしら。苦悩があるから、そこから解放されたあとの幸福があるってことと同じね」

「死があるから生がある」

老人がそう言ったとき、エレナは「母がいたからわたしがいる」と思っていた。

そう、生きている人たちはきっと、大勢の死者に守られながら、生と死のあいだで、生きているのだろう、と。

道生(みちお)――国境の川

自分の目で、国境を見る。

アメリカとメキシコの境目をこの目で見る。

これは、テキサス州への旅行が決まったときから、道生がひそかに定めていた、旅の大きな目的のひとつだった。

その目的が今、道生の目の前に横たわっている。

横たわっていながらも、滔々(とうとう)と、流れている。

陽(ひ)の光が反射して、川面(かわも)はまるで銀色の小魚が跳(は)ねているように見える。

その名もリオ・グランデ。

リオはスペイン語で、意味は川。グランデは大きい。

だから、リオ・グランデは文字通り「大きな川」を意味する。

源流はコロラド州の高地にあり、谷を下りながらニューメキシコ州へ、さらにその南にあるテキサス州まで流れてきて、エルパソを経由し、メキシコ湾へと流れこんでいる。全長三千五十七キロにも及ぶ川だ。そしてこの川がそのまま、アメリカとメキシコの国境になっている。

ここは、ビッグ・ベンド国立公園。

ビッグ・ベンドの意味は、大湾曲部。つまり、川が大きく曲がっている、その湾曲の部分が公園になっている。国境の約四分の一を公園が管理しているという。

おととい、三人で山登りに出かけたグアダルーペ国立公園は、エルパソから車で二時間ほどのところにあった。この公園もかなり広かった。そこからさらに四時間ほど、カントリーロードに車を走らせて、ゆうべ、たどり着いたテルリンガという辺鄙な村、その外れに広がっているこの公園は、さらにさらに広大だった。

まさに、宇宙的に広い、と、道生は言いたくなる。

どこからどこまでが公園で、どこからどこまでがそうではないのかさえ、わからないというか、広さを把握することができない、と言えばいいのか。何しろ、公園の入り口から、最初の登山口までだけでも、一時間以上かかるのだから。

村に一軒しかないモーテルの寝苦しいベッドで、何度も寝返りを打ちながら、浅い眠りの果てに迎えた朝、兄とアイリスが交代で運転する車に乗りこみ、二時間ほどのドライブのあと、この公園の奥の奥にあるサンタ・エレナ渓谷にたどり着いたとき、道生は目を見張った。

ああ、これが国境の川か。

来て良かった。

ここへ来て、ここに立って、自分の目で見てみて、本当に良かった。

写真ではこの感覚は味わえない、と、道生は思っている。

写真を撮りながら、そう実感している。写真ではだめだ。動画でもだめだ。肉眼で見なくては、だめなのだ。

アイリスが渓谷の左の方を指さしながら、教えてくれる。

「あっちがメキシコ。こっちはアメリカ」

渓谷の左側がメキシコで、右側がアメリカなのか。

そのあいだを流れているのがリオ・グランデだ。

「メキシコのあの町の名は、シウダ・ファーレス」

町とも言えないような小さな町の集落が緑に埋もれるようにして、見え隠れしている。あそこでは、スペイン語を話すメキシコの人たちが暮らしているのだ。

川に沿って続いているハイキングコースを、三人で歩いているときだった。

「お、馬がいるぞ。馬に乗った人もいる！」

兄が声を上げた。

見ると、男を乗せた馬がばしゃばしゃ、水音を響かせて、川を渡ってくる姿が目に飛びこんできた。男の服装は明らかに、アメリカ人のそれとは異なっている。帽子やシャツの色目がカラフルだ。靴もベルトもどことなく違う。女の人もいる。

アイリスが言う。

「国境を越えて、食べ物やお土産物を売りに来ているメキシコの人たちよ」

最初は一頭とひとりだったが、あっというまに数が増えて、今は五頭くらいの馬が勢いよく、勇壮に、大河を渡ってくる。

なんだかとても気持ちのいい光景だ。

どうして、気持ちがいいのか、わからないまま、道生は見とれている。

「馬は賢い。川のどこが浅瀬なのか、ちゃんと知ってるの」

「あれって、もしかしたら、不法侵入なのかな」

道生はそう尋ねてみた。国境破りって奴？

なぜなら、そこには出入国審査場というようなものは、何もないからだ。そこにはただ、川が流れているだけ。

「うん、事実上は違法行為ね。取り締まりみたいなものは、たまにはあるんだろうけれど、まあ、アメリカも見て見ぬふりをしてるみたい。仮に取り締まりがあったとしても、馬で川を渡って向こう側へ帰ってしまえばいいわけだから」

「へえ、そうなんだ。けっこうルーズなんだね」

道生がそう言うと、兄が言った。

「馬はきっと、メキシコに戻るときの道筋も、よくわかっているんだろうね。つまり、追っ手が追いかけてこられないような穴場の道を」

「そう、その通りだと思う！」と、アイリス。

「馬は賢い、人間より何倍も。馬は馬であって、馬鹿じゃない」

道生のジョークに、兄は笑った。アイリスはぽかんとしている。日本語の「馬鹿」の意味を兄が教えると、アイリスはいっそう不思議そうな表情になった。

「馬も鹿も、とても賢い動物よ。どうして、そういう意味の言葉になるの。日本語って、よくわからない」

「ぼくもわからない。だから、人間は馬鹿なんです」

道生がすかさずそう言うと、アイリスは手を打ち鳴らして笑ってくれた。


川も馬も、自由でいいな、と思った。

不自由なのは、人間だけだ。

川は川でしかなく、どちら側にどんな国があろうと、川はただそこに在る。太古の昔からただ静かに、悠然と、流れ続けている。川を渡ることが違法なのか、合法なのか、そんなこと、川には関係がないのだ。

馬もまた自由だ。馬にとっては、飼い主を乗せて川を渡ることは、ただの仕事か、ただの楽しみか、どちらかだろう。何が正しくて、何が正しくないか、そんなこと、馬にとってはどうでもいいことなのだ。動物にとっては、国境なんて、まったく意味のないものなのだ。馬だけじゃない。コヨーテだって、ロードランナーだって、小鳥たちだって、いつだって自由に国境を行き来している。

自由と不自由を綯い交ぜにして、流れてゆく川。

そのそばをてくてく歩いていきながら、道生は思った。

僕らは常に、自由と不自由のあいだで、生きているのかもしれないな。

何が自由で、何が不自由なのか。

それを決めるのも、きっと人の自由なのだろう。

囚われない心を持ちたい、偏見や差別から自由でありたい。

心には国境はないはずだ。いつだって、どこへだって、渡っていけるはずだ。

ロスト・ドッグ・トレイルを歩いているときに感じていたことを、道生はきょうも感じている。

心はいつだって、解放されている。風のように、光のように、自由に、メキシコへ行ったり、アメリカへ行ったり、日本へ行ったりできる。そう、その気になれば、心はどこへだって飛んでいけるし、どこへでも旅ができるのだ、自由に。


そこまで思ったとき、ふと、心に浮かんできた思いがあった。

浮かんできた、というよりは、空から降ってきたようだった。

リオ・グランデを渡ってゆく馬たちと男たち。

胸のすくようなこの眺めを、今、自分が見ているこの景色と、今、心が感じているこのときめきを、言葉で表現できたら、文章に書けたら、どんなに気持ちいいだろう。

そうして、それを誰かに伝える。誰かに手渡す。

そういう仕事が将来、できたらいいな。

父からも母からも兄からも、小学校でも、友だちや先生から「大人になったら、どんな仕事に就きたいのか」と、問われてきたが、道生はそのたびに、うまく答えることができないままだった。自分がどんな大人になりたいのか、どんな仕事をしたいのか、具体的なイメージを持つことができないままだった。

だから、適当に言葉を濁してきた。

あるときは「冒険家」と答え、あるときは「探検家」と答え、あるときは「お店の経営者」などと答えてきた。「どんなお店」と訊かれたときには「本屋さん」か「文房具屋さん」などと、そのときどきに心に浮かんできたことを。

幼かったころには、パイロットとか、宇宙飛行士とか、男の子なら一度はあこがれそうなものに、道生もあこがれてきた。

けれども今、道生の目の前に、かすかではあるが、自分の進みたい道がぼんやりと、浮かんできたような気がしている。

表現する人になりたい。

言葉で、何かを、表現する仕事をしたい。

自分の経験したアメリカを、自分の目で見たこの国境を「書く人」になりたい。

自由と不自由のあいだで、それを成し遂げてみたい。

できるだろうか、そんなことが。

やってみなくちゃ、わからないだろう。

エレナ――ヤスガー農場

何もない。

ここには、何もない。

地平線まで続くゆるやかな丘。

地面を覆い尽くしている牧草は枯れていて、丘の色はまだ茶色だ。ところどころに、凍り付いた雪の塊が残っている。

丘のふもとに国旗掲揚台があって、ポールが一本だけ、ぽつん、と立っている。

その先にアメリカの国旗。ときおり吹き抜ける風に、ふいに何かを思い出したかのように、国旗が翻っている。

それ以外には、みごとなまでに何もない。

お土産物屋も、Tシャツ屋も、ポストカード屋もない。だから、何も知らない人は、ここで、歴史に残るようなイベントがあったなんて、想像もできないだろう。

ママ、来たよ。

わたしは今、立っているよ。ロックの聖地に。

四十万人の若者たちが集結したヤスガー農場に。

エレナは空に向かって、左手を伸ばした。母の形見の時計を陽にかざすようにして。

ママ、見える?

ここには、何もないってことがわかる?

ここにはただ、風が吹き抜けているだけ。

ただ、風に吹かれている、ということがこんなに気持ちのいいものだとは。

この気持ち良さは、自由の気持ち良さかもしれないと、エレナは思っている。

風の自由さがそのまま、人の気持ちを自由にしてくれるのかもしれない。

ボブ・ディランの『風に吹(ふ)かれて』の歌詞をエレナは思い出す。

戦争を止める方法。

自由になるまでの遠い道のり。

悲しみを知るためには、どうすればいい。

それらの答えはすべて「風の中にある」と、ディランは歌った。

希望を歌った詩なのか、絶望を歌った詩なのか、エレナにとってはいまだに謎(なぞ)だ。

答えは風の中にあるのか、それとも、ただ風に吹かれて、吹き飛ばされていくだけなのか。

読んだ人に、それぞれの解釈(かいしゃく)を委(ゆだ)ねているように思える。


ベスの運転する車で、ウッドストックの町を出発したのは、午前七時だった。

そこから五時間ほどのドライブを経て、ここ、ベセルにあるヤスガー農場に着いた。

エレナはまだ運転免許(めんきょ)を持っていないから、ベスは往復で十時間のドライブをすることになる。

「そんなこと、あなたが気にすることじゃない。私はただいっしょに行きたいから、あなたを連れていく。この短い旅は、私がいつかマリアといっしょにしたかった旅だもの」

そう言ってくれた。

きのうは、オーヴァールック登山にも付き合ってくれた。

おとといは、ウッドストック周辺を車で回りながら、ディランとザ・バンドが一時期、いっしょに暮らしながらアルバムを創った、ビッグ・ピンクという名の家を見に行った。今にも、家の中からギターの音が聞こえてきそうだった。

そのあと、ベアーズビルという名の村にある遊歩道を歩いた。林を縫うようにして続いている道には、ウッドストックにゆかりのあるミュージシャンの、LPレコードのジャケットがデザインされた道標があった。

ベスは今、国旗掲揚台のまわりをゆっくりと歩きながら、台の上に刻まれているミュージシャンの名前をひとり、ひとり、確認するようにして見ている。

ベスのうしろから付いて、エレナも見ていく。

名前だけは知っている人もいれば、音楽を聴いたことのある人もいる。

エレナの知っているミュージシャンは、初日、八月十五日の午後から深夜にかけて登場した、アーロ・ガスリー、ジョーン・バエズ。二日目に登場した、サンタナ、グレイトフル・デッド、クリーデンス・クリアウォーター・リバイバル、ジャニス・ジョプリン、ザ・フー、ジェファーソン・エアプレイン。

ジャニス・ジョプリンは、ベスの「最高に好き！」なミュージシャンのひとりだ。

エレナはゆうべ、ベスに紹介してもらって、吠えるようなその歌声を初めて聴いた。

「彼女はね、テキサス州にある石油工場街で生まれた白人よ。美人でもなく、スタイリッシュでもなく、肌は荒れていて、男物のよれよれのシャツに、ぼろぼろのジーンズ。手入れの行き届いていない長い髪。そんな彼女が歌うブルースに、人々は骨の髄まで痺れた。黒人の音楽であるブルースが白人に歌えるもんか、という批判に対して、ジャニスは言った。『魂には特許なんてない』って」

一躍、人気歌手になってからも質素な暮らしを続けていたけれど、ジャニスは薬物の大量摂取によって、二十七歳という短い生涯を終える。モーテルの一室で、たったひとりで。ウッドストックで歌った翌年の秋だった。事故死ではあったものの、自殺にも等しい死だったという。

「あたしはただの人間。たったひとつのことしかできない。誰だって、いつかは何かができる。でも人間って、ひとりの人間がどんなことができるかってことに気づかなければ、ぼんやりしたまま、だめな人間として終わっちまう」――そんな言葉を残して。

ウッドストックで彼女が歌ったのは「ピース・オブ・マイ・ハート」「トゥ・ラブ・サムボ

ディ」「キャント・ターン・ユー・ルース」など。

「まるで、六十年代に対する別れの歌のように聴こえるね」

と、ベスは言った。

三日目、最終日の午後から翌朝にかけて、エレナの好きなザ・バンドが登場する。

ディランは出演を断ったけれど、ザ・バンドは断らなかった。

最終日は途中で大雨に襲われ、コンサートは一時、中止を余儀なくされたものの、数時間後に再び開始された。

会場は泥で汚れ、若者たちは全身、ずぶ濡れの状態になっていた。それでも、映画の中ではみんな笑顔だった。泥遊びに興じている若者たちもいた。

最後の最後を飾ったのは、ジミ・ヘンドリックスだった。何度、聴いても、そのたびに全身が痺れるエレキギターの音色。まさに「感電する」というような感覚。

拍手喝采、歓声、歓喜の悲鳴、笑い声、叫び声――。

四十万人の若者たちの声は今、清潔な静寂となって、風となって、ヤスガー農場を吹き抜けている。

エレナは、その風に吹かれた。

不自由なこの世を、自由に吹き抜けていくのは、記憶なんだと思った。

記憶とは、魂の集合体なのかもしれない。

ジャニスもきっと、ここにいる。ママもいる。

さっきまで見ていた「何もない景色」が今、エレナの目にはまったく違ったものとして、姿を現しつつあった。

何もないってことは、きっと、すべてがあるってことなんだ。


その夜、エレナは父に電話をかけて、自分の目で見たウッドストックのあれこれについて語って聞かせた。

「あのね、何もなかったんだよ、会場の跡には。本当に、何もなかった。国旗掲揚台だけだよ、あるのは。でもそれがね、なんていうか、胸がすかーっとするような光景だった。何もないはずなのに、歴史とか、若者が作ったムーブメントとか、反戦思想とか、そういうものが空気になって凝縮されてて、その空気が透明な風になって……」

夢中で話しながら、ああ、でもダッドには、わたしが言ってることの半分も伝わっていないだろうな、と、エレナは思っている。

もっと、自分に表現力があれば、伝えることができるのに、とも思っている。

「ママがね、なぜ、ウッドストックに行きたいって思っていたのか、その理由がほんの少しだけ、わかった気がしたよ」

母もきっと、言葉では表現し尽くせないような「何か」を、一冊の本として、書いてみたかったのだろう。母の表現手段は、ノンフィクションだった。記憶を記録したかった、ということなのかもしれない。

時代の記憶を、魂の記録として。

父が退屈しているような気配を感じて、エレナはこの話を終えることにした。

「このあとメールで、ザ・バンドのプレイリストを送るから、車の中で聴いてみて。ね、ダッド、いい？　だまされたと思って。とってもハートフルな音楽なんだから」

この旅行中に、エレナが自分でセレクトした、特別なプレイリストだ。

「おばあちゃんにも聴かせてあげて。なんならお店でかけてみたら？　お客さんたち、喜ぶよ。売り上げだって、上がるよ」

父も祖母もラテン音楽一辺倒。ふたりとも、ディランもザ・バンドも、ちゃんと聴いたことはないはずだ。

「ね、絶対、聴いてみて。ママの愛した音楽なんだから。国境も、ジャンルも超えた自由な音楽なんだよ。聴かないと、ママが悲しむし、わたしは怒るよ」

冗談めかして言った言葉に、父は笑い声を返してきた。

「はいはい、わかりました。まあ、おばあちゃんは無理だと思うけどな。気を付けて帰っておいで。赤ずきんちゃんのお帰りを、狼とばあさんは手ぐすね引いて待ってるからね」

道生――家族の写真

三人の目の前には、まっすぐなカントリーロードが続いている。

どこまでも、どこまでも、あまりにもまっすぐだから、スピード感がなくなり、距離感もなくなってしまって、まるで車が空を飛んでいる飛行機であるかのような錯覚に、道生は陥っている。

まわりの景色に変化がない。不思議な浮遊感だ。テキサス州のカントリーロードを走っているときには、いつも感じていた。今も感じている。

運転しているのはアイリスだ。ついさっき、兄と運転を交代したところだ。

エルパソ空港まで、あと二時間半ほどか。

テルリンガを出て、バンホーンという町を通り抜け、車で旅してきた道を車で戻っていく。来たときには「初めて見た」景色を、今は「なつかしい」と感じている。

合計六時間ほどの運転を、兄とガールフレンドは交代しながらやってくれている。

きょうの午後四時過ぎの飛行機に乗って、兄と道生はひと足先にニューヨーク州へ戻る。アイリスはあさって、大学町に戻るらしい。

運転席と助手席に座っているふたりは、さっきから熱心に、何かについて語り合っている。

大学の講義のことか、ゼミのことか、道生は途中でキーワードを聞き逃してしまって、話題がつかめなくなってしまい、会話の外に置き去りにされている。

ふたりの会話をBGMにして、次第にひとりの世界に入っていく。

国境を目にしたときに体感した自由と不自由、そして、正しさとは何か。

この命題がこれからの自分の進む道を示してくれたのだ、と、道生は思っている。

自分の目で見て、感じて、考えたことを「言葉で表現できる人」になりたい。そういう職業に就きたい、いつか。

この旅の途上で、将来の夢の扉が開いた。

今の道生の思考のキーワードは、国境だ。

国境のこちら側にある自由。向こう側にある不自由。

国境とは、正義と不正義を切り分ける境界線でもある。

たとえば、日本と北朝鮮の国境は、どこにあるのだろうか。

それは、日本海のどこかであるに違いない。

国境を無視して、北朝鮮がひんぱんにミサイルを撃ちこんでくるのは、なぜなのか。

あれは一方的な攻撃ではないはずだ。

きっと、その一因は、日本が過去に何か、恨みを買うようなことをしたからではないのか。

では、日本は何をしたのか。北朝鮮、言ってしまえば朝鮮半島で暮らす人たちに。

関東大震災が起こったとき、当時の日本の一部の人たちは「朝鮮の人たちが混乱に便乗して、井戸に毒を入れた」というまっ赤な嘘をでっち上げ、朝鮮の人たちを激しく排斥したり、虐殺したりしたという。

なぜ、そんなことが起こったのか。起こしたのか。起こるのか。

それはきっと、当時の日本人の考える「正しさ」が間違っていたからではないか。「これが正しい」と思いこんでいたその正しさが、実はまったく正しくなかったからではないのか。要は、正しさの定義なんて、そのときどきの権力者によって、ころころ変わるってことなんじゃないか。

日本の中学校でこんな意見を言ったら、きっと「生意気だ！」なんて、批判されるのかもしれないな。でも、アメリカの中学校では、批判されるどころか拍手喝采だろうな。

道生は、アメリカの中学校で習った、人種差別に関する授業を思い出す。

黒人は奴隷なんだから、鞭で打つことは「正しいこと」だと考えていた白人たち。

これと同じことが今の日本で起こっているのではないか。

北朝鮮から飛んでくるミサイルに対して、日本は、防衛という名の軍事力で抗戦しようとする前に、過去に自分たちがしたことに対する、本気の謝罪をしなくてはならないのではないか。

自分の思考が思いも寄らない領域にまで広がっていくのを、道生はおもしろがっている。これが考えるってことなのかな。自分の頭でものを考えろ、と、学校でも家でもよく言われるけど、これがそれなのかもしれないな。

「オーマイガーッド！　ちょっと待ってよ、これ、どういうこと」

アイリスが声を上げた。

その声によって、道生の思考回路はぷつん、と、切れた。

「まさか！　パンクか！」

兄も声を上げている。

「ひえー、冗談かよ、冗談きついよ、これは」

同時に、ガクガクガクと奇妙な音を立てて車が揺れ、後部座席に座っていた道生は前のめりになり、前の座席の背に頭をぶつけてしまった。車が揺れた、というよりは、解体したという感じだった。

「いてててて」

おでこをさすりながら、

「パンクって、パンク？」

ちょっと、まぬけな問いを発してしまった。

アイリスは、ガタガタ揺れる車を必死で路肩に寄せながら、

「どうしよう、困ったことになったね」

青白い顔をして、眉をひそめている。

「とりあえず、降りて見てみよう」と、兄。

「その前にもうちょっとだけ、車を寄せておく」

「まだ走れるか」

「無理をしてでも、寄せておかなくちゃ」

アイリスが再び車を寄せると、今度はグアングアングアンというような音がして、車は激しく前後左右に振動した。

ふたりが外へ出たので、道生もあわてて出る。

案の定、前の右のタイヤがぺちゃんこになっている。

「どうしよう、こんなところで……」

アイリスは涙声になっている。

まっすぐに続くカントリーロード。右は果てしなく続く荒野で、左は果てしなく続く沙漠。民家など一軒もない。車も一台も走ってこない。前からもうしろからも。

さらに致命的なことは、ここには携帯の電波が届かない、ということだった。

「スペアタイヤは……」と、兄。

「積んであるけど、私には……」と、アイリス。

タイヤ交換なんて、できない、ってことか。

「僕にもできない」と、兄。

ぼくにだって、できないよ、そんなこと、と、道生は思っている。

沙漠のまんなかで車が動かなくなり、電話も通じない。

これって、何を意味するのだろう。

もしも季節が真夏だったら、死につながるのではないか。

「とりあえず、車が走ってくるのを待ちましょう」

気を取り直して、アイリスがそう言った。

「そうするしか、ないかな」

そう言ったあとに、兄は続けた。

「きょうの飛行機には、乗れないかもしれないな」

道生はそのとき「やった。旅が一日、延びたぞ」と、ひそかに喜んでいた。が、そんな自分がいかに浅はかで、いかに愚かなのか、ということに、すぐに気づいた。


三十分ほど、待っただろうか。

一台目の車は、対向車として、走ってきた。三人で懸命に手を振ったけれど、止まってはくれなかった。

二台目と、三台目は、後続車として、走ってきた。

ちぎれそうなほど手を振ったけれど、だめだった。

困っている人がいるからといって、助けなくてはならない、という法律はない。もしも逆の立場だったら、ぼくらだって助けないかもしれない。無用なトラブルには巻きこまれたくない、それは誰しも思うことだろう。そうするのが正しいとわかっていても、できないことだってある。そういうことかもしれない。


パンクしてから、一時間が過ぎようとしている。

三人とも、真の意味での危機感を覚え始めている。このまま日が暮れて、夜が来たら、いったいどうなるのか。

沙漠の気候だから、三月であっても、夜はぐんと冷えこむ。

夜のテキサスがどんなに寒いのか、それについては、すでに経験済みだ。

水も食料も底を突いている車の中で、夜を明かすことになったら。そうして、翌朝になっても、まだ誰も助けてくれなかったら。

こういうことって、映画の中だけで起こるものだ、と思っていたそのことが今、自分の身の上に起こっている。信じられない。タイヤがパンクしたという、ただそれだけのことで、なす術（すべ）もなく、立ち往生している。人間って、なんて弱いんだろう。なんて、無力なんだろう。パンクひとつ、直せないだけで、こんなことになるなんて。

「歩くしか、ないかな」と、アイリス。

「そんな無茶な。体力を消耗（しょうもう）するだけだろ」と、兄。

「でも、とぼとぼ歩いていたら、さすがにこれはおかしいなと思って、拾ってもらえるかもしれないでしょ」

兄も道生（みちお）も、無言だった。

どう答えたらいいのか、道生には皆目（かいもく）わからない。まともに立っていられなくなって、車のそばに、へなへなとしゃがみこんでしまった。

「来た！」

それからさらに一時間が経過したころだった。

四台目の車がうしろから走ってくるのが見えた。救世主になってくれるのか、再び絶望の谷底に突き落とされるのか。

最初は豆粒のようだった車が次第に大きくなってくる。

三人で道路のまんなかに立って、手を振った。

さっきまでと違って、今回は三人の距離をあけて、ほぼ横一列になって、立っている。車が三人を無視して、通り過ぎることはできない間隔で。誰が思い付いたわけでもなく、気が付いたら自然にそういうふうにしていた。まさに、決死の覚悟だ。

四台目の正直だ。止まってくれ。

止まってくれた。

三人の車と同じピックアップ・トラック。色はシルバーグレイ。

運転席には男が、助手席には老女が座っていた。

ふたりとも、メキシコ系の人のように見える。

おもむろに車から降りてきた男は開口一番、こう言った。

「きみたちは俺に、助けを求めているのかな。必要だったら手を貸そう」

この人は天使だ、と道生は思っている。

天使はどこかにいて、人が困っているときに姿を現して、助けてくれるのよ、と、クラスメイトの誰かが言っていたことを思い出す。

いかつい男の人ではあったものの、確かにその人は守護天使だった。

自分の車からジャッキと工具箱を、三人の車からスペアのタイヤを取り出すと、慣れた手つきでてきぱきと、タイヤを交換してくれた。あっというまの出来事だった。まるで魔法にかかったようだった。

汗まみれ、涙まみれになっている三人とは対照的に、男は涼しげな顔をして「できたよ」と、親指を立てている。

「フライトにも間に合いそうだな、きみたちはラッキーだ」

と、ウィンクまでしてくれた。

老女も車から降りてきて、かわるがわる三人をハグしてくれた。

「道中、気を付けるんだよ。神様が守って下さるから、心配しなくていい」

老女は、男の母親だった。

「じゃあな」

男はそう言って、ふたりはあっさりと車に乗りこんで、去っていこうとするので、兄も道生もアイリスもあわてた。

「あの、こんなに親切にしていただいて。私たちは、何かあなたにお礼を」

アイリスの言葉を男は遮った。

「お礼の必要などない。俺は自分のやるべきことをしただけだ。それではどうしても気が済まないと言うならば、まあ、良かったらいつか、ここへ飯でも食いに来てくれ。これは俺の店だ」

財布の中から三枚、名刺を取り出して、渡してくれた。

「メキシカンレストラン　パンチョ・ビリャ」と書かれている。パンチョ・ビリャというのは、メキシコでは有名な革命家の名前だ。店のロゴは、馬にまたがっている革命家のイラスト。

「世界一うまいエンチラーダを食べさせるよ。ソースは緑と赤。きみはどっちがいい。信号は、さっきまでは赤だったが今は緑になったな」

かっこいい！　と道生は思った。パンチョ・ビリャではなくて、その経営者が。こういうときに、こんな気の利いた台詞を言える男が。

そんな思いを言葉にしたら、こうなった。考えるよりも先に、言葉が出てしまった。

「あの、いつか日本に来るようなことがあったら、ぼくが案内します！」

言ってしまったあとで、なんて荒唐無稽なことを言ったのだろうと、反省した。

テキサス州の沙漠のどまんなかで「いつか日本に」なんて言われたら、誰だって、びっくりするだろう。なんでここで「ジャパン」が出てくるんだよって。

現に目の前の男も目を見開いて、両手を上に上げている。「それって、どういうこと」という疑問を示しているように見える。「何を言ってんだい？」と、アメリカ人が言いたいときのボディランゲージのようなものだ。

「すみません、こいつ、へんなこと言って」

兄がフォローしてくれる。

「あの、弟と僕は現在、ニューヨーク州で学生として暮らしていますが、出身国は、日本なんです。父も母も日本人で、母は日本にいますが、父はこっちに住んでいて、それで、弟はあんなことを」

そのとき、男の瞳がきらりと輝いた。

道生の目にはそう映った。

「そうか、きみたちは、日本からやってきたのか。驚いたことに、俺の妻は日本人だ。残念ながら今はこの世にはいないが、俺には娘がいる。娘は日本にルーツがある。だからいつか、訪ねてみたい国の筆頭なんだよ、日本は。おお神様。神様に俺は感謝する。きみたちに会えたのも、亡き妻が引き寄せてくれたのだろう、きっと」

男はそう言うと、シャツのポケットからスマートフォンを取り出して、待ち受け画面の写真を道生たちに見せた。

そこには、ひと組の家族が写っていた。

男の妻が生きていたときに、四人で撮影したのだろう。うしろに老女と男。すぐ前に妻と娘。

「そういえば、実はうちの娘は今、きみたちの住んでいるニューヨークへ旅行中なんだ。すごい偶然だが、すれ違いみたいなことになってるね。どこかで会わなかったかい？　こんな子なんだが」

ジョークを言いながら、男は指を動かして、もう一枚の写真を見せた。カウボーイハットをかぶった少女が満面に笑みをたたえている。

その写真を目にしたとき、道生の心臓は、胸から外に飛び出そうになった。

この女の子に、会ったことがある。

この笑顔に助けられたことがある。

忘れられない笑顔だ。

男の笑顔に向かって、道生は言った。自信と確信に満ちた声で。

「エレナ、エレナさんじゃないですか、あなたの娘さんの名前は」

エレナ――母の秘密

ブルーグレイの小型のスーツケースをあけて、エレナは荷作りを始めた。

あしたの朝、ベスの車で空港まで送ってもらって、午後の飛行機でエルパソへ戻る。

マンハッタンでも、ウッドストックでも、美味しいものをいっぱい食べたけれど、そろそろ、辛～いメキシコ料理が恋しくなってきている。

テックスメックスと呼ばれている、テキサス州生まれのメキシコ料理。父のレストラン、パンチョ・ビリャでもそれを出している。

緑色をした唐辛子、ハラペーニョ。

祖母はこれを「天国の実」と呼び、父は「テキサスのピーナッツ」と呼んでいる。つまり、父にとって、この香辛料はおやつみたいなものだと言いたいのだろう。

ハラペーニョをふんだんに使った緑色のソース。たっぷりかけて、がぶっとかぶりつくブリトーがエレナの大好物。父の作ったブリトーは「楽園の味」がする。

ああ、早く帰りたいな。

旅の終わりに、帰りたいなと思える場所があることを、エレナは幸せだなと思う。思いながら、部屋に散らばっている物をスーツケースに詰めこんでいく。

下着類、洋服、パジャマ、洗面用具、ランニング用の靴、ソックス、本、ノート、筆記用具、母の形見のブルーの本、ベスからもらったアンティーク風のブローチ。これは、ベスの手作りのアートだ。祖母とお揃いになっている。エレナのはふくろうで、祖母のは孔雀。祖母はきっと華やかな孔雀が気に入るだろう。

帰りの荷物は、行きよりも増えている。かさばる物が増えたわけではないのに、鞄はずっしりと重くなった。思い出が増えた分だけ、鞄は重くなるのだろうか。

「旅の荷物は、できるだけ少ない方がいい」

そう言った母の言葉は、正しかった。

エレナはひとり笑いをする。だって、荷物を軽くしておけば、そのすきまに、思い出をぎっしり詰めこめるものね、ママ。

ウッドストックで過ごした五日間、エレナは常に母の存在を身近に感じていた。

もしかしたら、母が生きていたときよりも強く、母を感じられるのかもしれないとさえ思った。どこで何をしていても、母といっしょにウッドストックを体験しているような気分だった。

ママ、楽しかった?

わたしは楽しかったよ、すごく。

わたしには本は書けないけれど、もしもママが書いていたとしたら、そのお話はきっと、今、わたしの心の中に存在しているこのお話と、おんなじかもしれないよ。


荷作りを終え、夕ごはんの用意をしているベスを手伝うために、キッチンへ行くと、ベスは待ってましたと言わんばかりに、エレナにおいでおいでをした。

「ちょっと肌寒いでしょ。だから、ほら、暖炉に火を入れたの」

リビングルームにある、石造りの暖炉を指さしている。

「わあ! すてき!」

飾りの暖炉ならエルパソでも見かけるけれど、実際に、中に薪を入れて燃やしている暖炉には、滅多にお目にかかれない。

「あったか〜い」

火に両手をかざして、エレナはにっこりする。

パチパチと火花の弾ける音がする。暖かい音だ。

火に当たっていると、いつのまにか、ベスがエレナの隣に立っていた。

優しい声で言う。

「エレナ、あなたに渡したいものがある」

見ると、ベスはオレンジ色をした封筒を手にしている。小さくもない、大きくもない、ノートを一、二冊、入れたらいっぱいになるくらいの大きさだ。

「そこに座って」

ベスの指さしている長椅子に腰掛けると、

「これ、あなたに。マリアから預かっていたものなの」

封筒を手渡された。

軽かった。書類が一、二枚、入っているのかなと思った。

でも、ママからって、どういうこと？

訝しく思っていると、ベスの声が肩に降りかかってきた。ベスはなぜか、エレナの背後に立ったまま、話し始めた。

「渡そうかどうしようか、ずっと迷ってたんだけど、やっぱり、渡しておこうと思った。今が適切な時期なのかどうか、私には判断ができかねるけど、この次は、いつあなたに会えるか、神のみぞ知るでしょ。だから……」

「だから？」

エレナは、振り返ってベスの顔を見た。

驚いたことに、ベスは涙ぐんでいる。涙とこの封筒には、何か関係があるのだろうか。受け取ったものの、エレナはすぐに封筒から中身を取り出せない。

「だから、ひとりであけて、読んでみて。私はちょっと、アトリエで片づけをしてくるから。マリアがね、いつか、自分が死んだあと、あなたに手渡して欲しいって言って、私に預けていたものなの。結婚したばかりのころに」

死んだあと？　それって、遺言ってこと。

「結婚したばかりというと、わたしは」

「生まれたばかりだった」

ということは、赤ん坊を連れて、夫といっしょに、ベスに会いに来たときに手渡した、ということになる。

いつのまにか、ベスは姿を消していた。

暖炉の中で火が燃え上がっているリビングルームには、少しずつ、夕暮れの気配が忍び寄ってきている。森は静かだ。家の中にも外にも、静寂が層のように重なっている。

エレナは封筒をあけた。中身をそっと取り出した。

入っていたのは、ブックカバーと、手紙だった。カバーは『国境の南、太陽の西』――白いカバーに、大きな文字でタイトルと作家名。下の方には英文が書かれていて、レコードを取り出している人を描いたイラストが付いている。

母の形見として大切にしてきたブルーの本の、これがカバーなのだとわかった。

なぜ、母はこれを封筒に入れて、ベスに預けたのだろう。

ますます謎めいている。

きっと、その答えは、この手紙に書いてあるに違いない。

そうだった、母は昔からこういう不思議なことをするのが好きだった。思いもかけないことをして、人を驚かせるのが好きだった。

エレナは、なつかしい母の手書きの文字を読み始めた。

読み終えたとき、頬を涙が伝っていった。

それは、悲しみの涙ではなく、寂しさの涙でもなく、ただただ愛おしさに満ちた、あたたかい涙だった。

ママ、会いたい。大好きだよ。エレナはつぶやいた。

つぶやいたあと、もう一度、最初に戻って読み始めた。

大好きな英玲奈ちゃんへ
あなたはいつ、どこで、この手紙を読んでいるのでしょう。

今、いくつになっていますか。どんな仕事をしているの。

愛する人は、あなたのそばにいますか。

できるだけ、あなたが年配であることを祈りながら、この手紙を書いています。

おばあちゃんになっていたりするのかしら。だといいな。

私はこの世にいないけど、あなたはいる。それって、けっこう幸せなこと。

私のお腹の中には、今、あなたがいます。

そう、あなたは私のお腹の中よ！　信じられる？　嘘みたいでしょう？　でも、本当の話だよ。

私はあなたもよく知っての通り、あなたのダッドを愛しています。それはもう、全身全霊で
愛しています。だからこそ、私はこうして、あなたを授かったのです。

でもね、この愛が真実の愛であるように、私には過去にも、人を愛したことがありました。まだ若かった私には、その愛にも未来があると信じていましたが、それは浅はかな望みでした。くわしいことは書かないけれど、英玲奈ちゃん、私はね、生まれて初めて愛した人とは、別れなくてはならなかったのです。

私の好きな作家が作品の中にこう書いています。そのまま書き写します。

「でもこの町を離れたらきっとあなたは私のことなんか忘れてしまうわ。そして別の女の子をみつけるのよ」と彼女は言った。これも彼女が僕に対して何十回も言ったことだった。

そのたびに僕はそんなことがあるわけはないと彼女に言って聞かせた。僕は君のことが好きだし、君のことをそんなに簡単に忘れたりはしないと。でも本当のことを言えば、僕にはそれほど確信が持てなかった。場所が変っただけで、時間や感情の流れががらりと変ってしまうことだってあるのだ。

この文章の、男と女を入れ替(か)えて読んでみて。

それが、私と彼(かれ)のあいだで起こったこと。だけど、現実と物語には大きな違(ちが)いがあって、別れたあと、彼はみずからの手で命を絶ってしまった、ということ。彼にはミュージシャンになりたいという夢がありました。ボブ・ディランやザ・バンドの音楽が好きで、いつか、ウッドストックへ行きたいって、いつも話していました。

彼の夢を実現させるためにこそ、私たちは別れたのに、その夢が彼を殺すことにもなりました。

ああ、これ以上のことは書けないし、書きたくはないし、書くべきではないけれど、それでも、私はこのことを、私の娘である英玲奈ちゃんには、書き残しておきたいと思いました。

恋愛。そう、恋愛においては、何が正しいか、正しくないかなんて、問題じゃないのです。そこには愛があるか、ないか、それだけのことだと思うのです。

私はあなたのダッドに会えて、愛し愛されて、とても幸せな人生を歩んでいます。

もうじき、お腹から出てくるあなたにも会えます。

この大きな幸せに包まれて、私は亡くなった彼に、この幸せを伝えたいと思ったのです。そして、これがそれを伝える方法なのです。

英玲奈ちゃん、あなたには今、愛している人がいますか?

その人をせいいっぱい、愛してあげてください。

出会った人と人には、必ず別れがやってきます。でも、悲しまないで。一度、出会った人と人には、別れは絶対に来ない。これもまた、人生の真実なのです。

真実には常に、表と裏があります。そうして、それらはどちらも真実なのです。

愛する英玲奈、私の娘。

この手紙をベスに預けておきます。彼女なら、この手紙を、いつあなたに渡すべきか、正しく判断してくれることでしょう。ベスは私よりも長生きします（笑）。それはもう絶対よ。だからベスに託します。ダッドには内緒にしておいて。

同封のブックカバーは、彼が私に贈ってくれた本のカバーです。このカバーを見ると、つらくて、涙が止まらなくなるから、外してベスに預けます。

いつか、あなたがこれを手にしたとき、本とカバーをいっしょにしてあげて。

さようなら、また会おうね。

あなたの母でいられたことは、私の人生最大の幸福。

真理亜

本作はフィクションです。
登場人物は、実在の人物とはいっさい関係がありません。

[参考文献]
『私の好きな孤独』長田弘著　潮出版社刊
『ことばの果実』長田弘著　潮出版社刊
前者はジャニス・ジョプリンに関する記述を、
後者はハラペーニョに関する記述を参考に致しました。

『地図でスッと頭に入るアメリカ50州』デイビッド・セイン監修　昭文社刊

このほかに、インターネット上に掲載されている
多数の記事を参考に致しました。

[引用文の原典]
エピグラム
『誰も気づかなかった』長田弘著　みすず書房刊

本文中
『国境の南、太陽の西』村上春樹著　講談社刊(1992年刊行の単行本)

[カバー写真について]
(番号=写真のネガのオレンジ色の数字をご参照ください)

カバー表
(20・上)マンハッタンの留守番猫
(17)エルパソの公園内のトレイル
(18)エルパソのメキシコ料理店
(9)マンハッタンのパン屋さん
(19)メキシコ(国境付近)の馬
(16)マンハッタンのセントラルパーク
(15)ウッドストックの森の家
(21)ウッドストックの野うさぎ
(20・下)ウッドストックの大空

カバー裏
(16)エルパソの名物、特大パンケーキ
(21)マンハッタンのワシントン・スクエア公園
(17)アメリカとメキシコの国境を流れるリオ・グランデ川

小手鞠るい
こでまり るい

1956年岡山県生まれ。同志社大学法学部卒業。1992年に渡米。現在、ニューヨーク州ウッドストック在住。10代のひとり旅を皮切りにして、20代の頃はアジア諸国を、渡米後は中南米やヨーロッパを中心にして、世界のあちこちへ旅をした。正確に数えたことはないけれど、50カ国以上は訪れているはず。本作はテキサス州への旅に着想を得て書かれた作品である。

JASRAC 出 2307141-301

答えは旅の中にある
2024年1月30日　初版発行

著者　小手鞠るい
写真　グレン・サリバン
ブックデザイン　城所潤＋大谷浩介
発行者　山浦真一
発行所　あすなろ書房
〒162-0041 東京都新宿区早稲田鶴巻町551-4
電話 03-3203-3350（代表）
印刷所　佐久印刷所
製本所　ナショナル製本

ISBN978-4-7515-3178-5 NDC913 Printed in Japan